G. Latourix

D0785485

Série Désir

ELLEN LANGTRY

D'amour
et d'ivresse

Les livres que votre cœur attend

Titre original : *The Fierce Gentleness* (66)
© 1983, Nancy Elliott
Originally published by SILHOUETTE BOOKS,
division of Harlequin Enterprises Ltd,
Toronto, Canada

Traduction française de : Isabelle Ste Suzanne
© 1985, Éditions J'ai Lu
27, rue Cassette, 75006 Paris

1

Nerveuse, la jeune femme releva le poignet de sa robe bleue et, pour la quinzième fois, consulta sa petite montre en or. Dix heures et quart ! A la demie, Marc Durand aurait exactement deux heures de retard. Elle lui donnait encore un quart d'heure pour se montrer. Après, elle s'en irait.

Tracy attendait, assise dans le jardin d'hiver d'une demeure de la fin du XIXe siècle transformée en auberge. Les parois vitrées étaient bordées de camélias roses et blancs, d'agaves et d'orangers du Mexique, disposés dans des caissons de bois vernis. La lumière du jour était tamisée par des plantes au feuillage tombant placées dans des suspensions. Des tables recouvertes de nappes blanches étaient disséminées dans la pièce. Sur chacune d'elles, on remarquait un petit vase avec des roses trémières et des branches de gaillet ou de mimosa.

Chauffée par de gros poêles en fonte, la pièce n'en était pas moins assez fraîche ; c'est du moins ce qu'il semblait à Tracy, bloquée là depuis le matin et vêtue d'une robe bien trop légère pour l'endroit et la saison.

La veille, elle avait conduit sept heures d'affilée sur la route tortueuse longeant le canyon, depuis Sun Valley. Arrivée à Brewster, dans l'Idaho, elle avait dormi dans une chambre inconnue. Aussi sentait-elle venir un mal de tête, d'autant plus que cette attente l'agaçait au plus haut point.

Ce matin, elle avait eu la surprise de découvrir un paysage de neige, alors qu'hier encore le ciel était d'un bleu limpide. La jeune serveuse lui avait dit qu'un hiver aussi précoce était néfaste pour le bétail, mais Tracy n'imaginait pas que quelque chose d'aussi beau puisse être mauvais. A travers les vitres de la serre, elle contempla un jardin anglais, où les arbustes et les rosiers étaient poudrés de neige. Glacées par le gel, les aiguilles des conifères semblaient avoir été enduites de sucre filé. Au loin se profilaient des montagnes sombres dont les sommets aigus étaient éclairés par le soleil matinal. Après l'automne long et inhabituellement chaud de New York, ce temps de givre et de frimas lui parut délicieux.

Tracy jeta à nouveau un regard vers l'entrée. Lorsqu'elle était arrivée à son rendez-vous, la moitié des tables étaient occupées par des hommes, généralement vêtus à la mode de l'Ouest. La plupart étaient sans doute des éleveurs et des propriétaires fonciers venus en ville pour affaires. Ils lui avaient jeté des regards en biais et s'étaient consultés à voix basse. Pour l'instant, personne ne la connaissait, mais ils ne tarderaient pas à savoir qui elle était et pourquoi elle était là. Il n'y aurait bientôt plus personne pour ignorer qu'elle était envoyée par la société Magnum Mining pour négocier avec Marc Durand l'achat d'une zone désertique. Quelle serait

6

leur réaction en apprenant l'existence d'une mine de cobalt à proximité de leur petite ville ? Elle l'ignorait totalement.

Maintenant, elle était seule. Il n'y avait aucune musique dans la pièce, et elle appréciait ce silence.

La veille au soir, tandis qu'elle remplissait sa fiche d'hôtel, Mme Quartermain, la gérante, lui avait un peu parlé de Mille Fleur House :

— Tobias Brewster, le roi des mines d'argent de l'Idaho, a fait élever cette demeure en tant que résidence privée. Depuis l'an dernier, Mlle Schell, l'actuelle propriétaire, a transformé le solarium en salle à manger, et le salon en bar. Nous louons quelques chambres, mais nous ne sommes pas vraiment un hôtel, plutôt une sorte de pension de famille. Nous aimons louer à des habitués, comme les vendeurs et les acheteurs de bétail, par exemple.

Cette nuance fit sourire Tracy.

— Mlle Schell habite ici toute l'année ?

— Elise Schell est veuve, mais elle a repris son nom de jeune fille après la mort de son mari, Frank Harlow, l'année dernière. Elle habite, avec son grand-père malade, un grand appartement au deuxième étage. C'est une femme extraordinaire. Elle est à Seattle pour deux ou trois jours. Vous serez encore ici à son retour ?

— Oh ! oui ! Je le pense.

Mme Quartermain n'aurait pas demandé mieux que de poursuivre la conversation, mais Tracy n'avait pas l'intention de lui confier les raisons de sa présence. Elle prétexta la fatigue pour se faire conduire à sa chambre, au troisième étage.

— La salle de bains est dans le couloir, et vous serez la seule pensionnaire à l'étage. Je vous laisse vous installer.

Tracy, très lasse, ne tarda pas à se mettre au lit.

Ce matin, dans la salle à manger de Mille Fleur House, elle avait regretté l'absence d'Elise et de son grand-père. Ils étaient copropriétaires du terrain qu'elle allait devoir acquérir, et un entretien avec eux aurait été utile. Eux-mêmes étaient favorables à la vente, mais ils auraient pu lui donner quelques indications sur la voie à suivre avec Marc Durand... si toutefois elle le rencontrait un jour !

Dans cinq minutes, elle monterait dans sa chambre. Quelle idée, aussi, d'avoir mis une robe en soie ! Elle aurait été plus à l'aise dans un tailleur de lainage chaud, certes pas aussi élégant que cette tenue, mais plus confortable !

Elle s'efforçait de contenir sa colère grandissante. Il y avait sans doute une raison valable pour expliquer ce retard, mais, tout de même, il aurait pu s'arranger pour prévenir ! Elle passa mentalement en revue ce qu'elle savait de Marc Durand : il avait la trentaine, était divorcé et sans enfants. Après ses études d'agriculture, il était devenu éleveur. Remarquable homme d'affaires, il était l'un des quelques millionnaires de l'Etat d'Idaho et, par ailleurs, copropriétaire des terrains recélant les gisements de cobalt que convoitait la société. On le disait également très actif dans les affaires locales et joueur de poker invétéré. Tracy ajouta : et parfaitement mufle ! Sans doute ne serait-il pas un partenaire facile !

La mise sur pied du projet d'extraction avait demandé plusieurs mois. Selon le rapport des experts géologues, le gisement était très riche et l'extraction, relativement aisée, était rentable. Il ne manquait plus, pour faire aboutir le projet, que Marc Durand. Tracy avait attendu pendant des semaines une réponse à ses lettres et multiples appels téléphoniques puis, un jour, un télégramme était arrivé. M. Durand était disposé à rencontrer un représentant de la société Magnum Mining le vendredi 14 octobre, à huit heures trente, à Mille Fleur House, Brewster, Idaho.

Le directeur général de la société, Jonathan Allen, avait invité Tracy à dîner pour fêter le premier indice encourageant d'une éventuelle coopération avec Durand. Il avait levé sa coupe de champagne et porté un toast :

— A Tracy Cole, première femme à faire partie de la direction de Magnum. Elle ouvre la voie aux autres qui pourront prouver que les femmes peuvent être efficaces dans des conseils d'administration, et pas seulement derrière des planches à repasser !

Tracy avait souri et répondu :

— A Jonathan Allen, qui m'a soutenue malgré ce qui s'est passé en Californie et qui, après ma rupture avec Eric Schaeffer, m'a aidée à me ressaisir.

La convocation de Marc Durand — car il s'agissait bien de cela — lui laissait moins de deux jours pour préparer son voyage. Le départ en catastrophe, les ennuis de dernière minute, le vol de New York à Salt Lake City, puis à Sun Valley, et le long trajet en voiture jusqu'à Brewster l'avaient pas mal bousculée. Elle se sentait complètement dépaysée.

Au cours de la dernière demi-heure, elle avait failli appeler Durand plusieurs fois, puis s'était ravisée. S'il était pénible d'attendre, elle pourrait en retirer un avantage psychologique. C'est lui qui allait se sentir gêné de son retard !

Excédée, elle consulta à nouveau sa montre et décida qu'il était l'heure de partir. Elle se leva, complètement glacée, pour aller se changer.

Elle ramassait son porte-documents et son sac

quand elle entendit, derrière elle, un bruit de pas précipités. Immédiatement, elle pensa qu'il s'agissait enfin de Marc Durand et elle se composa une expression distante et mécontente avant de se retourner. Un homme de haute stature, vêtu d'une chemise à carreaux, d'un jean, et chaussé de bottes, se dirigeait vers elle. Tracy resta impassible devant son sourire avenant.

— T. A. Cole ?

La surprise se lisait dans ses yeux. Il lui tendit la main.

— Bonjour, je suis Marc Durand et... fort en retard.

Tracy nota que ses mains étaient extrêmement soignées et que sa tenue était décontractée, mais nullement débraillée.

— Je l'ai constaté, en effet.

Sans paraître remarquer sa sécheresse, il lâcha sa main et l'observa d'un œil critique, tandis qu'elle-même en faisait autant. Il avait des cheveux noirs bouclés et un visage qui n'était pas aussi beau qu'elle l'avait cru de prime abord. Son nez avait une petite bosse, et elle jugea sa bouche un peu trop sensuelle. Cependant, Tracy devait bien reconnaître qu'il se dégageait de lui une impression de force et une séduction que ne laissait pas présager la photo qu'elle avait vue, un an auparavant, dans un magazine. Il portait alors une moustache, et avait un air des plus rébarbatifs. Aujourd'hui, rasé de près, il paraissait plus jeune. Il était de taille plus élevée qu'elle ne l'avait imaginé, et son hâle et sa musculature révélaient un homme habitué aux travaux physiques. Ses pommettes hautes et saillantes faisaient ressortir ses yeux bleus pétillants de vie.

Il lui sourit d'un air malicieux.

— C'est bien, vous me rendez la pareille. Ce que je vois est très bien. Et vous ?

— Ne vous méprenez pas, monsieur Durand. Il est normal d'observer le visage d'un homme avec qui l'on doit traiter une affaire aussi importante que la nôtre.

— Un point pour vous. Mais peut-être pourrions-nous changer de pièce ? Vous avez l'air gelée.

Il la précéda pour la conduire à la salle à manger. Elle perçut une odeur mêlée de cheval, de feu de bois, et d'eau de Cologne fraîche. Elle évoqua aussitôt le parfum d'une eau de toilette renommée qu'elle connaissait bien.

— Ça a dû être plutôt fatigant de conduire depuis Sun Valley ?

— Oui. Sept heures de route. Comment savez-vous que j'étais en voiture ?

— Tout simplement parce que l'avion arrive dans l'après-midi et que Mme Quartermain m'aurait prévenu, dans ce cas.

Il ouvrit la grande porte et s'effaça devant elle, puis ils empruntèrent un long couloir.

— Au moins, vous êtes arrivée avant la neige. Vous auriez vu le col, aujourd'hui !

Tracy frémit à l'évocation de la route en corniche, avec ses virages en épingle à cheveux, et des rochers abrupts tombant à pic dans les profonds canyons.

— Pourquoi n'avez-vous pas pris l'avion ?

— Je ne pensais pas que le trajet serait aussi difficile. Et puis j'avais envie de voir l'Idaho.

La salle dans laquelle ils pénétrèrent semblait n'avoir pas changé depuis le temps où Tobias Brewster buvait son porto. Il y flottait une légère odeur de tabac. Les lambris d'acajou brillaient à la lueur du feu allumé dans la grande cheminée. Tracy alla s'asseoir dans un des larges fauteuils à oreillet-

11

tes et tendit les mains vers le foyer pour se réchauffer. Elle attendait que Marc Durand fasse le premier pas dans la discussion. Mais il ne semblait pas pressé d'engager la négociation et commença par activer le feu jusqu'à ce que jaillissent de hautes flammes, puis il disposa une nouvelle bûche. Enfin, il prit place dans un fauteuil semblable à celui de Tracy et l'observa à nouveau avec attention.

— T. A. Cole, vous me surprenez.

Il jeta un coup d'œil à sa main gauche.

— Mademoiselle Cole, je suppose ?

— Pourquoi cette surprise ? demanda-t-elle posément.

— Je pensais, a priori, que le représentant d'une société minière aussi importante serait M. T. A. Cole. A propos, que signifient ces initiales ?

— Tracy Amanda.

C'est tout à fait volontairement qu'elle n'avait pas répondu à la question concernant son statut matrimonial. La réaction de Marc Durand, quand il découvrirait qu'elle était célibataire, serait intéressante. Elle avait déjà, dans sa carrière, rencontré des réactions qui allaient de l'attitude hautaine et paternaliste aux tentatives de séduction.

Elle ajouta cependant, pour mettre les choses au point :

— De nos jours, les affaires ne sont plus le domaine réservé des hommes. Mais peut-être n'en êtes-vous pas encore là, en Idaho ?

L'ironie de la remarque fit réagir Marc Durand assez vivement :

— Vous nous prenez pour des arriérés, ou quoi ? Rassurez-vous, on n'ignore rien de la grande libération des femmes américaines !

Il la regarda avec un air de défi tempéré par un sourire malicieux. Tracy haussa les épaules et s'absorba dans la contemplation des flammes. Marc n'avait fourni aucune explication pour son retard ; elle en était choquée et avait voulu le remettre à sa place. Le silence se prolongea, puis Marc se décida à parler :

— J'ai l'impression que vous m'en voulez terriblement de mon retard.

Tracy leva les yeux vers lui.

— Je vous présente d'humbles et sincères excuses.

Il mit la main sur son cœur, avec un geste théâtral. Ainsi, M. Marc Durand manie facilement le sarcasme ! pensa Tracy.

— Voici l'explication : j'ai passé la nuit auprès d'une dame victime d'un accident. J'ai dû la soigner et l'entourer de tout mon amour.

— Bien.

Toute la nuit, soit. Mais, de toute façon, il aurait pu prévenir, pensa-t-elle.

— C'est ce qui explique ma tenue. Mon amie avait une jambe blessée — une très jolie jambe.

Dans un éclair, Tracy comprit. Il était en train de se moquer d'elle, avec sa prétendue amie blessée !

— Je ne suis peut-être pas habituée aux coutumes de l'Idaho, mais ce n'est pas une raison pour croire que vous pouvez vous payer ma tête sans que je m'en aperçoive. Une amie blessée, dites-vous ? Une amie qui aurait quatre jambes et qui hennirait, c'est ça ? La plus belle conquête de l'homme, dit-on.

— Oh ! Je vois ! Madame la directrice est aussi belle qu'intelligente !

Il s'inclina, puis reprit :

— J'ai voulu vous prévenir, mais la tempête a détruit une ligne. Nous sommes aux confins de la civilisation, vous savez.

Tracy le dévisagea et opta pour un changement de

tactique. Continuer sur le ton de la plaisanterie la plaçait dans une position difficile et risquait de faire traîner les choses. Puisqu'il avait présenté des excuses, l'incident était clos.

— J'accepte vos excuses. J'étais agacée parce que je mourais de froid. La salle à manger est chauffée, mais le dallage est absolument glacé et il y a de terribles courants d'air.

— Vous auriez dû attendre dans votre chambre. Je serais allé vous chercher.

Sa voix profonde avait pris une intonation caressante. Il se pencha en avant, les coudes sur ses genoux. La lueur des flammes fit briller d'un éclat fauve ses boucles sombres. Il la regarda comme s'il voulait ajouter quelque chose, puis se ravisa.

— Quand Elise a décidé de transformer le jardin d'hiver, je lui ai bien dit que ce serait intenable, malgré les poêles. Vous êtes réchauffée, maintenant ?

— Oui, merci, ça va mieux. Et si nous nous mettions au travail ? Pouvez-vous me passer mon porte-documents. Tous mes dossiers sont dedans.

Tracy jeta un coup d'œil circulaire dans la pièce. Marc se leva, mais il se dirigea vers la cheminée pour ranimer les flammes.

— Avant, j'aimerais prendre un petit déjeuner.

Il saisit le cordonnet d'un interphone fixé au mur. Tracy avait remarqué qu'elle en avait un dans sa chambre mais elle avait pensé que, sans doute, un appareil aussi démodé ne fonctionnait plus.

— Vous prendrez quelque chose ?

Une voix nasillarde sortit du haut-parleur.

— Allô ?

Marc attendit la réponse de Tracy.

— Juste un thé, j'ai déjà déjeuné.

— Vivian ? Ici, Marc Durand.

14

— Comment allez-vous ?

— Je vais bien, Vivian, mais je meurs de faim. Pouvez-vous m'apporter un petit déjeuner avec un café, plus un thé. Nous sommes dans le grand salon.

— D'accord. Ce sera prêt dans dix minutes.

Marc se rassit en souriant.

— Le système ne fonctionne que si quelqu'un se trouve dans la cuisine pour recevoir l'appel. Quand j'étais enfant, je venais jouer dans la maison avec Elise, Kent Regan, Frank Harlow...

Son regard devint rêveur à l'évocation de son enfance.

— Mlle Schell et la gouvernante devenaient folles avec cet interphone qui était pour nous une vraie merveille, la dernière invention du progrès.

Il poussa un soupir qui émut étrangement Tracy, soudain traversée du désir de le consoler. Puis il secoua la tête en souriant.

— Bon. Nous ne sommes pas là pour que je vous raconte ma vie. Dites-moi plutôt comment vous avez obtenu ce poste à la Magnum Mining.

Tracy ne s'attendait pas à cette question. Elle hésita un peu avant de répondre.

— Il n'y a pas grand-chose à raconter. Je suis sortie de l'université avec un diplôme de gestion des affaires et de relations publiques. Puis j'ai obtenu mon doctorat à la Harvard Business School. Une semaine avant l'examen, j'ai été contactée par la Magnum Mining. J'y suis entrée et j'y suis toujours.

Ces simples mots ne pouvaient donner idée de la somme de travail qu'elle avait dû fournir pour atteindre sa position actuelle.

— Aimez-vous votre métier ?

Marc faisait preuve d'un intérêt réel, et pas seulement de politesse.

— Oui. Magnum Mining est une société en pleine

expansion. Le nouveau président a mis en place de nombreuses réformes dans une firme jusqu'à présent très traditionnelle. J'ai été la première femme à bénéficier de la formation aux fonctions de direction, il y a trois ans. Depuis, il y en a eu deux autres que j'ai moi-même contribué à sélectionner.

Malgré elle, sa voix trahissait sa fierté.

— Vous n'avez pas fait d'études de géologie, ni d'ingénierie des mines ? Vous n'avez pas étudié le sable, les cailloux et les roches ?

Elle se demanda s'il parlait sérieusement ou s'il voulait encore se moquer d'elle. Mais son visage ne reflétait que de l'intérêt.

— Je m'occupe des relations publiques, négocie les contrats de vente, tâche d'apaiser les craintes des habitants lorsqu'une compagnie minière s'implante dans leur région, etc. J'ai beaucoup appris sur l'exploitation minière ; je suis capable de comprendre et d'interpréter pour un profane les données d'un rapport de géologue. Harvard mène à tout.

S'il avait voulu la traiter de haut, ou la mettre en difficulté, il s'y était mal pris !

C'est seulement maintenant qu'elle commençait à se détendre, à se sentir à l'aise. Marc Durand ne la quittait pas des yeux, mais rien, dans son expression, ne révélait ses pensées.

Tracy allongea les jambes vers le feu.

— Et maintenant, parlez-moi de votre ranch, demanda-t-elle à son tour pour changer de sujet.

Le regard de Marc s'attarda sur ses longues jambes, et il eut un sourire d'approbation. Elle résista à son envie de changer de position, mais c'eût été montrer qu'elle l'avait remarqué.

— J'ai lu un article qui parlait de vous. C'était

l'année dernière, je crois. Sur la photo, vous faisiez plutôt triste figure.

— Je ne voulais ni de cet article ni de cette photo. J'étais terriblement agacé. Et puis, j'ai eu droit, après, à plus d'une mise en boîte !

Tracy allait lui demander pourquoi, dans ce cas, il avait accepté l'interview. Juste à ce moment, on frappa à la porte. Marc se précipita pour ouvrir.

— Ah ! Vivian, quel service !

— C'est bien parce que c'est vous ; le petit déjeuner est terminé depuis longtemps ! Maintenant, je suis en retard pour le déjeuner.

Elle jeta un regard vers Tracy et sourit.

— Mademoiselle Cole, je suppose ? J'ai appris votre arrivée. Je suis Vivian, la cuisinière.

— Bonjour, Vivian. Vos croissants sont les meilleurs du monde.

— Merci, mademoiselle. Je suis contente que vous les ayez appréciés.

Marc reconduisit Vivian à la porte. Un bras posé sur ses épaules, il lui chuchota quelques mots à l'oreille avant de l'embrasser sur la joue. La porte refermée, Tracy entendit son rire dans le couloir.

Marc avança deux chaises jusqu'à la table. Tracy se servit un thé, tandis qu'il se mettait à dévorer.

— J'ai une de ces faims ! Vous ne voulez pas manger quelque chose ?

Avant qu'elle ait refusé, il lui tendit un croissant avec du beurre et de la confiture de fraises. Elle ne put résister.

— Merci. J'aimerais avoir la recette de Vivian, elle est délicieuse.

— Inutile d'essayer de soutirer ses secrets à Vivian, je vous préviens. Chaque fois que je viens en ville, je prends mes repas ici. Elle seule me préserve de la famine !

Tracy regarda Marc, qui lui parut en excellente forme physique.

— Vous voulez dire qu'en dehors de Vivian il n'y a aucune femme dans tout ce pays qui soit capable de faire la cuisine pour un célibataire plein d'appétit ? Ça paraît incroyable !

Tracy avait parlé sur le ton de la plaisanterie, mais elle était vivement intéressée par la réponse. Elle savait qu'il était divorcé depuis cinq ans.

— Oh ! bien sûr, il y a une foule de femmes qui font la cuisine, mais aucune aussi bien que Vivian. Quand j'avais seize ans et que j'étais affamé en permanence, je lui ai demandé de m'épouser. Elle a été tentée, vous savez !

— C'est que vous n'avez pas su lui présenter les choses !

Marc dissimula son sourire derrière sa serviette et dit avec gravité :

— Peut-être. Et vous, ça ne vous tenterait pas ?

— Je ne sais pas faire la cuisine.

— Dommage !

Ils rirent tous deux, puis Marc se mit à raconter brièvement quelques événements marquants de l'histoire de cet Etat.

— Peu de gens savent qu'en 1890 les troubles chez les mineurs ont entraîné l'assassinat d'un ancien gouverneur.

Tracy connaissait les violences qu'avait entraînées l'exploitation des richesses minières. L'extraction de l'or et de l'argent avait rapporté des millions de dollars, mais le coût humain avait été dramatiquement élevé. Tracy se demanda si le passé n'allait pas constituer pour Marc un obstacle à la vente de ses terres.

Tout en parlant, Marc tendit à Tracy un quartier d'orange, puis un autre croissant. La familiarité de

18

ces gestes donnait un poids particulier à sa présence. Bien que la conversation fût neutre, un courant de sensualité s'établissait entre eux, par le simple fait de partager ce repas. Tracy se rendit compte que tous ses sens étaient en éveil, son cœur battait un peu trop vite dans sa poitrine et elle vit que sa main tremblait en portant sa tasse à sa bouche. Une émotion inconnue s'emparait d'elle.

Embarrassée, elle baissa les yeux et souffla sur le liquide bouillant. A travers ses cils, elle observait Marc. Quelle impression cela ferait-il de prendre le petit déjeuner avec cet homme après une nuit passée dans ses bras ? Comment étaient les caresses de ses mains, de ses lèvres ?

Le visage de Tracy s'empourpra. Elle se versa une autre tasse de thé et s'efforça de chasser ces pensées. Mais, insidieusement, des questions lui venaient à l'esprit. Dormait-il seul ? Certainement pas souvent ; un jeune célibataire comme lui, aussi virilement séduisant, devait faire bien des conquêtes ! Une image s'imposa à elle — celle de Tracy Cole allongée dans un lit, les bras tendus vers Marc Durand.

La voix de Marc l'arracha à sa rêverie.

— Pardon ? Je n'ai pas entendu.

— Evidemment, vous ne m'écoutiez pas.

D'une voix charmeuse, il ajouta :

— A quoi pensez-vous ?

Penché au-dessus de la table, il la regarda droit dans les yeux, comme s'il lisait dans ses pensées.

Troublée, Tracy tenta de se ressaisir :

— Dès que vous aurez fini, nous devrions commencer à discuter.

Marc s'était levé et se tenait devant elle. Surprise, elle se mit debout à son tour.

— Je sais lire sur le visage d'une femme ; la

société Magnum Mining est à dix mille lieues de vos pensées.

Muette de saisissement, Tracy resta bouche bée.

— Le trouble et le désir : voilà ce que j'ai vu dans ces yeux ravissants.

Elle secoua la tête en signe de dénégation.

— Oh! mais si! Votre regard ne trompe pas. Et j'aimerais tellement que vous gardiez cet air rêveur et désarmé!

Marc glissa une main derrière son dos et l'attira à lui. Elle ouvrit la bouche pour protester, mais il posa ses lèvres sur les siennes et la serra si fort qu'elle pouvait sentir contre elle tous les muscles de son corps viril.

Son baiser se fit plus ardent. Peu à peu, elle s'abandonna à la griserie de sentir ses mains sur sa nuque, ses hanches, le creux de ses reins. Chaque minute qu'elle passait dans ses bras ruinait le plan qu'elle avait imaginé pour mener la négociation de Magnum Mining. La langue de Marc rencontra la sienne et Tracy se sentit chavirer. Elle essaya de le repousser, mais il était trop tard. Elle ne pouvait s'empêcher de répondre à ses baisers et à ses caresses. Jamais elle n'aurait pu imaginer de se laisser ainsi séduire par un inconnu. Quand leurs bouches se séparèrent, Tracy le regarda, les yeux brûlants de passion.

— J'aime la façon dont la belle représentante de Magnum Mining mène l'affaire.

La voix de Marc était devenue sourde.

— Maintenant, je voudrais savoir...

Sa main était toujours posée sur sa taille.

— ... si Magnum choisit toujours de belles négociatrices pour obtenir des terres? Et si oui, dites-moi, quels sont vos talents particuliers?

2

Ces mots firent à Tracy l'effet d'une gifle. Elle se dégagea vivement et recula. Face à face, ils s'affrontèrent longuement. Puis Tracy lança avec mépris :

— Vous n'êtes qu'un goujat !

Il ne broncha pas et continua à la fixer, les sourcils froncés.

Les paroles et les actes de Marc Durand avaient clairement fait savoir à Tracy ce qu'il pensait d'elle. Sans doute la prenait-il pour une simple séductrice sans aucune compétence professionnelle. Il avait voulu la tester et elle s'était abandonnée, lui donnant la preuve qu'il avait vu juste. Elle avait complètement perdu la tête. La fatigue n'excusait rien, elle le savait parfaitement. Pire que tout : elle avait répondu avec passion à ses baisers et à ses caresses. Comment faire, à présent, pour redevenir à ses yeux la femme d'affaires qu'elle n'aurait jamais dû cesser d'être ?

Tracy prit une profonde inspiration et se jeta à l'eau :

— Vous vous méprenez, monsieur Durand. Mais

en dépit de la piètre opinion que vous pouvez avoir de moi en tant que personne privée, je n'en suis pas moins la représentante d'une compagnie qui m'a chargée de négocier avec vous l'achat de vos terres.

Marc affecta de n'avoir même pas entendu et Tracy poursuivit :

— Nous avons supposé que, puisque vous vouliez rencontrer un responsable de la compagnie, c'est que vous étiez disposé à discuter.

Elle avait retrouvé tout son aplomb, à présent.

Un demi-sourire flottait sur le visage de Marc. Quel jeu jouait-il ? Espérait-il lui faire perdre contenance ? Elle décida de mettre fin à l'entretien et se dirigea vers son fauteuil pour prendre son sac.

— Puisque vous n'avez pas l'air d'être en mesure d'entendre les propositions de la Magnum Mining, je propose que nous nous revoyions plus tard. Si vous vous décidez à négocier, c'est avec moi qu'il vous faudra traiter.

Sans attendre la réponse, elle se dirigea vers la porte. Avant de sortir, elle se retourna et ajouta :

— Un mot encore : je suis seule juge des faveurs que j'accorde. La compagnie n'a rien à y voir.

Ses talons claquèrent dans les couloirs déserts. Elle monta précipitamment dans sa chambre, la tête pleine de pensées contradictoires. Il lui fallait mettre de l'ordre dans son esprit et réfléchir à la suite des événements.

Elle se dirigea droit vers la fenêtre dont elle écarta les rideaux. Le regard perdu sur ce paysage presque uniformément blanc, elle fit le vide en elle et retrouva peu à peu son calme.

Elle s'était comportée de la façon la plus stupide possible, mais elle était bien décidée à ce que tout cela ne se reproduise pas.

Au bout de quelques minutes, elle aperçut Marc,

vêtu d'une grosse veste au col remonté, qui se dirigeait vers une camionnette rouge.

Avant de monter dans le véhicule, il jeta un coup d'œil vers la fenêtre de la chambre de Tracy.

Elle murmura entre ses dents :

— Allez au diable, Marc Durand !

A moins qu'il ne se décide aujourd'hui même à avoir un entretien sérieux avec elle, elle n'avait plus rien à faire ici et partirait dès le lendemain.

Elle enleva sa robe et la suspendit dans la belle armoire ancienne en bois fruitier. Toutes ces émotions l'avaient épuisée et elle était glacée. Bien qu'il fût près de midi, elle tira le couvre-lit brodé et se glissa sous les couvertures.

Que signifiait l'attitude de Marc Durand ? L'idée de travailler avec une femme lui était-elle insupportable au point de lui faire annuler les négociations ? Ne voyait-il en elle qu'une femme désirable qu'il se refusait à prendre au sérieux ? Elle ne pouvait croire une telle chose mais, insidieusement, une vieille crainte resurgissait en elle. Après ce qui s'était passé en Californie, si elle ratait cette affaire, la compagnie serait sans doute amenée à reconsidérer sa position.

A Ludlum, elle n'avait pas pu donner sa mesure, par suite d'un concours de circonstances défavorables. Après des semaines de travaux exploratoires, elle s'était rendue sur place pour signer avec M. Farnsworth et Bishop, les propriétaires des terrains. A la suite de nombreuses tergiversations, ils avaient fini par vendre à une autre compagnie minière.

L'échec qu'elle avait essuyé à Ludlum avait ébranlé sa confiance en elle. Le ton assuré qu'elle avait pris tout à l'heure avec Marc Durand avait dû sonner complètement faux. Du moins le craignait-elle. Sans doute aurait-elle mieux fait d'écouter ses parents et de suivre une voie toute tracée : le collège, les études, puis le mariage et les activités bien-pensantes du club local. Peut-être avait-elle eu tort de prendre le chemin qui l'avait conduite, à vingt-trois ans, chez Magnum. Quoi qu'il en soit, elle s'était dévouée entièrement à son travail, sans se laisser distraire de ses objectifs. En trois ans, elle avait gravi tous les échelons et gagnait sa vie plus que correctement. Elle louait un charmant petit appartement près de Central Park, avait de nombreux amis et sortait beaucoup.

Il n'y avait que deux ombres au tableau de sa réussite : l'échec de Ludlum et sa rupture avec Eric Schaeffer.

Ils s'étaient connus chez Magnum. Ils étaient sortis ensemble pendant un an, puis Eric l'avait demandée en mariage. Tracy avait alors découvert qu'il trouvait tout naturel qu'elle abandonne sa carrière pour le suivre dans ses déplacements. A partir de là les choses avaient commencé à se gâter entre eux. Quand la Magnum avait décidé d'envoyer Eric en Amérique du Sud, la petite fissure était devenue un fossé. Dans une lettre en provenance de la Guyane, Eric lui avait mis clairement le marché en main : c'était sa carrière... ou lui. Elle avait jugé les conditions inacceptables et ç'avait été la rupture définitive.

Après cette déception, Tracy s'était lancée dans une foule d'activités. Quand elle pensait à Eric, elle savait qu'elle avait eu raison. Parfois, cependant, des doutes, des angoisses troublaient son sommeil ; elle se réveillait en se demandant si elle était vraiment heureuse ou si elle avait seulement décidé qu'elle l'était. Mais tout cela n'était que passager et ne l'affectait pas profondément.

Ces quelques moments de repos lui avaient rendu

toute son énergie. Elle rejeta les couvertures et sauta du lit, déterminée à ne pas se laisser abattre par les difficultés. Maintenant, elle savait comment était Marc Durand. S'il l'appelait, elle saurait mieux comment s'y prendre. En attendant, elle allait en profiter pour faire connaissance avec la ville...

Dehors, la neige tombait toujours. Elle s'habilla chaudement, enfila des bottes fourrées et choisit de se rendre à pied au centre-ville : sa voiture de location n'était sans doute pas équipée de pneus cloutés. En descendant l'escalier et en traversant la maison, elle remarqua quelques signes révélateurs de sa vétusté ; le parquet était abîmé par endroits, quelques marches étaient branlantes et, au rez-de-chaussée, le bas du mur de l'entrée semblait rongé par le salpêtre.

Dehors, le froid était vif et lui pinça les joues ; elle remonta frileusement le col de sa veste. L'avenue était plantée d'arbres ; au passage, elle admira les spacieuses demeures, dont les grandes vérandas lui rappelèrent la maison de sa grand-mère, à Saint-Louis.

Tandis qu'elle gravissait la rue en pente qui conduisait au centre, Tracy eut le sentiment de pénétrer dans un autre monde, une autre époque. Parvenue sur la grand-place, cette impression se confirma ; Brewster ressemblait à une petite ville de la Nouvelle-Angleterre. L'église avec un clocher blanc, l'hôtel de ville et la bibliothèque occupaient trois des angles de la place. Leur architecture, comme celle des bâtiments qui les entouraient, était typiquement victorienne.

Tracy traversa la place et s'engagea dans un chemin bordé de chrysanthèmes en fleur qui courbaient la tête sous le poids de la neige. Elle arriva dans un petit parc planté d'ormes et de marronniers et orné en son centre d'un kiosque à musique, visiblement désaffecté. Elle s'assit sur un banc après en avoir balayé la neige et se demanda comment cette alliance d'une ville de la côte Est et d'un paysage de montagnes sauvages était possible. Comment cette ville avait-elle été construite ? Comment avait-on fait pour transporter les matériaux, qui n'avaient rien de local, en franchissant les montagnes et le canyon ? Et, surtout, pourquoi la région n'était-elle pas devenue une zone touristique ou un lieu de villégiature ? En son for intérieur, elle se réjouit de ce que personne n'y ait songé et que tout soit resté intact.

Soudain, elle réalisa ce que cette pensée avait d'absurde. En effet, si la compagnie ouvrait ici une mine de cobalt, la ville allait changer du tout au tout. Elle ne connaissait que trop les conséquences de ce genre d'opération. En quelques mois, la ville serait transformée en un véritable chantier. Elle se couvrirait d'immeubles, de bureaux, de restaurants aux couleurs criardes, d'une banlieue de pavillons cubiques et d'immeubles rectangulaires. A cette évocation, elle frémit d'horreur.

Jusqu'à présent, elle avait toujours justifié cet aspect des choses par les nécessités du développement économique et par les besoins du pays en minerais rares qui assuraient son autonomie énergétique.

Mais, à cet instant, le dilemme lui sembla particulièrement difficile à trancher. Elle se demandait si, vraiment, son raisonnement était juste...

3

Deux heures plus tard, Tracy, transie, rentrait à Mille Fleur House. Elle se rendit aussitôt dans la grande salle de bains. Avec délices, elle se plongea dans l'eau bien chaude et resta à regarder les petites vagues qui ondulaient sur son corps.

Sa promenade lui avait fait oublier les fâcheux événements de la matinée et elle se sentait revivre. Malheureusement, elle ne devait pas s'éterniser dans son bain, sinon, elle manquerait l'heure du dîner. Elle s'essuya énergiquement, puis enfila un peignoir abricot et se dirigea vers le lavabo. Les vieux robinets de cuivre étincelaient, un motif de fleurs et de feuilles décorait la vasque de porcelaine. Tracy brossa longuement ses cheveux auburn qui lui tombaient sur les épaules et sortit ensuite dans le couloir pour rejoindre sa chambre. Elle avait laissé volontairement la porte ouverte pour l'aérer un peu. De toute façon, elle était seule à l'étage.

Une fois à l'intérieur, elle ferma à double tour et mit la clef dans sa poche. La nuit était tombée et la pièce était dans le noir. Au jugé, elle se dirigea vers la cheminée et alluma un lampadaire. Puis elle alla vers l'armoire pour prendre ses vêtements. En passant devant la fenêtre, dont les doubles rideaux n'étaient pas encore tirés, elle eut l'impression fugitive qu'ils étaient bizarrement épais, mais elle ne s'arrêta pas. Elle s'apprêtait à ouvrir l'armoire, quand son regard fut attiré par ce que reflétait le grand miroir pivotant disposé contre le mur opposé à la fenêtre : deux pieds sortaient de sous le rideau, la manche d'une chemise dépassait sur le côté !

Elle se précipita, écarta le voilage et se trouva face à Marc Durand.

— Que faites-vous ici ! Qui vous a permis de vous introduire chez moi ?

— Quel sang-froid ! Même pas un cri !

— Je n'ai nulle envie de plaisanter, monsieur Durand. Et puis sachez que, primo, je ne suis pas une hystérique et que, secundo, j'ai immédiatement reconnu votre chemise.

Malgré son ton de colère, elle ne pouvait s'empêcher de rire intérieurement. Cela lui rappelait tellement les jeux de son enfance, avec ses cousins, dans la grande maison de Saint-Louis ! Une de leurs plaisanteries favorites consistait à se cacher dans la chambre des filles et à leur faire peur. Mais, justement, avec elle, ça n'avait jamais marché et, plus d'une fois, c'est elle qui, dissimulée sous un lit ou derrière un meuble, avait effrayé ses cousins.

Et puis, soudain, la présence de Marc Durand, là, dans sa chambre ranimait le souvenir des brûlants baisers du matin. Il fallait qu'il s'en aille au plus vite, sinon, tout risquait de recommencer.

— J'attends vos explications, si toutefois vous pouvez en fournir.

— Ne le prenez pas sur ce ton, c'était une plaisanterie. Je suis venu vous présenter mes excuses pour ce matin. Non pas pour les baisers, mais pour mes remarques inconsidérées. Et puis, vous aviez oublié votre porte-documents en bas, j'ai pensé qu'il valait mieux que je vous le rapporte.

Il s'avança vers elle. Une lueur dansait dans ses yeux, il était insolemment séduisant. Consciente de sa vulnérabilité et de la légèreté de sa tenue qui laissait deviner les courbes de sa poitrine, elle ne détourna pourtant pas le regard et essaya de dissimuler son trouble.

— J'accepte vos excuses, monsieur Durand, mais sachez que je trouve cette plaisanterie pour le moins déplacée.

Il était si près que son cœur se mit à battre à coups redoublés. Il avait le même regard que ce matin, avant qu'il ne l'embrasse.

— Nous pourrions nous voir au petit déjeuner, demain matin ?

Elle se retourna pour prendre son porte-documents et en extraire une liasse de papiers.

— Ainsi, vous aurez tout le temps de lire et d'étudier la proposition de la société Magnum Mining.

Marc l'avait suivie et se pencha vers son oreille.

— Tracy Cole...

Elle sursauta, mais il avait mis ses mains sur ses épaules et murmurait dans ses cheveux :

— Vous sentez bon comme un jardin de roses à l'aube d'un matin d'été. Savez-vous que vous êtes ravissante, dans cette tenue ?

Il caressa sa nuque.

— Vos cheveux sont encore humides...

A ce contact, elle fut parcourue d'un frémissement. Pourquoi cet inconnu faisait-il naître en elle de telles sensations ? Elle devait lutter contre son trouble et, coûte que coûte, maintenir leurs rapports sur un terrain strictement professionnel... si toutefois il en était encore temps !

Elle s'écarta, lui tendit les papiers et se dirigea vers la porte.

— Maintenant, je vous prie de me laisser seule.

Elle tourna la poignée, sans résultat. Elle se souvint alors que la clef était dans sa poche. Avant qu'elle l'ait trouvée, Marc s'était approché et appuyait sa main contre le chambranle. Elle se retourna, prise au piège entre le panneau de bois et le corps de Marc. Ses seins frôlaient son torse. Elle le regarda droit dans les yeux, d'un air qu'elle espérait plein d'indignation.

Il avait jeté les papiers sur une chaise, comme si cela n'avait pour lui aucun intérêt.

— Tracy ? Est-ce que, ce soir, vous aimeriez...

Un sourire s'épanouit sur ses lèvres.

— ... aller danser ?

— Danser ?

Elle avait presque crié, sidérée par cette proposition incongrue. Il se mit à rire.

— Pourquoi pas ? On danse aussi, dans nos provinces. Tenez, je vais vous montrer.

Avant qu'elle ait pu réagir, il l'enlaça et la fit tourbillonner dans la pièce tout en fredonnant d'une voix de baryton une chanson d'amour populaire.

La soudaineté du geste avait pris Tracy au dépourvu et elle se retrouva en train de danser avec lui, comme s'ils avaient fait cela toute leur vie. C'est alors que sa pantoufle se prit dans le tapis. Elle bascula contre lui, il perdit l'équilibre et, riant aux éclats, tous deux se retrouvèrent sur le lit.

Elle était tombée sur lui et, avant qu'elle ait pu poser le pied par terre pour se relever, il prit son visage entre ses mains et la regarda, les yeux brillants d'un désir qu'il ne cherchait pas à dissimuler. Elle voulut se dégager mais, déjà, la sensation de son corps contre le sien l'emplissait d'un trouble qu'elle ne pouvait maîtriser.

C'est elle-même qui pencha son visage à la rencontre de la bouche chaude et sensuelle de Marc. Il la fit glisser sur le côté et passa un bras autour de sa taille. Comme ce matin, elle ne pouvait résister à l'assaut passionné de ses lèvres. Sa bouche s'entrouvrit et leurs langues se confondirent dans un long baiser. Son corps ne lui obéissait plus et frémissait, s'enflammait sous les caresses. Les mains de Marc faisaient naître en elle un plaisir qu'elle s'était si longtemps refusé, celui de partager le désir d'un homme. Elle renonça à se défendre et se laissa aller à ses sensations. Elle sentait le cœur de Marc battre à l'unisson du sien. Une bienfaisante chaleur irradiait dans tout son corps et elle se cambra lorsque, à travers le tissu léger, il posa la main sur son sein palpitant. Il écarta son vêtement et se pencha pour embrasser son cou, sa gorge, et enfin sa poitrine gonflée de désir. Elle poussa un gémissement étouffé. Alors, Marc se redressa et plongea son regard bleu dans le sien. Un sourire illuminait son visage.

— Bienvenue à Brewster, Tracy Cole.

Comme si un déclic avait joué dans son cerveau, Tracy reprit ses esprits.

— Laissez-moi.

Elle voulut se dégager et se lever, mais ses mouvements désordonnés ne faisaient qu'attiser la lueur de passion qui brillait dans le regard de Marc. La panique la saisit à l'idée qu'elle était à la merci de cet homme qui pouvait maintenant faire d'elle ce qu'il voulait. Sans doute perçut-il sa peur, car il la lâcha et se retourna sur le dos, les bras le long du corps.

Tracy sauta du lit sans le regarder et rajusta son peignoir. Toujours sur le lit, il s'appuya sur un coude.

— Cela veut-il dire que la danse est terminée ?

Elle ne put s'empêcher de rire. Il avait un air de gamin désolé. D'un bond, il fut debout devant elle.

— Bien. Nous allons donc aller dîner. Et si vous mettiez cette jolie robe bleue que vous portiez ce matin ? Je reviens dans une demi-heure.

Il était déjà à la porte, qu'il essayait en vain d'ouvrir.

Elle lui lança la clef qu'il attrapa au vol.

Avant de sortir, il se retourna et déclara :

— Et ce soir, pas un mot sur Magnum Mining ou le cobalt. A tout de suite !

Puis il disparut. Tracy, complètement abasourdie par ce qui venait de se passer, resta au milieu de la pièce, les bras ballants. Que faire ? Allait-elle l'attendre ou descendre dîner seule ?

Elle n'avait pas besoin de réfléchir longtemps pour savoir que ce qu'elle désirait était d'être avec lui. D'ailleurs, ce dîner lui permettrait peut-être de faire avancer la négociation, même s'il avait déclaré ne pas vouloir en entendre parler.

Elle ouvrit l'armoire et jeta un coup d'œil amusé sur le miroir qui lui avait fait découvrir Marc, caché derrière le rideau. Il n'était pas question de mettre la robe bleue pour dîner dans cette salle glacée. Sa jupe de laine longue et son corsage de soie corail seraient beaucoup mieux adaptés.

Tandis qu'elle se préparait, son visage s'empourpra au souvenir des baisers de Marc et, plus encore peut-être, de la façon dont elle avait répondu à ses caresses. Jusqu'ici, elle avait toujours su repousser les avances mais, avec Marc, tout était différent. Pour se rassurer, elle se dit que, de toute façon, il ne pouvait rien se passer dans la salle à manger d'un restaurant. Elle attrapa un châle blanc, le jeta sur ses épaules et sortit. Elle se sentait parfaitement bien dans sa peau.

Marc l'attendait en bas des marches et elle remarqua qu'il ne la quittait pas des yeux. Il lui tendit la main tandis qu'elle descendait la dernière marche. Un pantalon de flanelle gris anthracite avait remplacé son jean, et ses bottes de cow-boy avaient fait place à des chaussures de sport. Le col d'une chemise à carreaux sortait d'un pull à encolure en V.

— Où est votre manteau ?

— Pour quoi faire ? Nous dînons ici, non ?

Lui non plus n'avait ni veste ni manteau.

— Non. Mais, à la réflexion, vous n'avez pas besoin de manteau. La voiture est chauffée et nous n'allons pas loin.

Il lui prit le bras pour sortir. Saisie par le froid, Tracy frissonna. Avant qu'elle ait compris ce qui se passait, il la souleva de terre et la porta jusqu'à sa voiture. Dans ses bras, sa belle assurance faiblissait.

Elle pouvait sentir les muscles puissants de ses bras et de son torse. Il ne devait sans doute pas se contenter de diriger le travail, mais aussi mettre la main à la pâte. Sa force et sa vitalité la troublaient profondément et elle rougit aux pensées qui se bousculaient dans son esprit. Il la déposa sur le siège et effleura sa bouche d'un baiser léger. Puis il se redressa et fit le tour de la voiture. Tracy murmura en elle-même : Allez au diable !

La camionnette rouge avait été remplacée par une Buick à la carrosserie soulignée de bois. A l'intérieur, Tracy remarqua les fines boiseries du tableau de bord. Son frère lui avait communiqué sa passion des vieilles voitures et elle savait ce qu'il fallait de soins et de patience pour les entretenir. Si Marc

Durand s'occupait personnellement de sa voiture, c'était encore un nouvel aspect étonnant de sa personnalité.

— C'est une voiture de famille ou vous l'avez achetée ?

— De famille. Mon père pensait qu'il en aurait pour son argent. Nous avons aussi un tracteur acheté en 1935, et que nous utilisons toujours avec profit.

Ils avaient maintenant quitté la ville. La route serpentait le long d'une rivière et, au milieu des pins et des épicéas, on apercevait des fermes, dont les lumières brillaient dans la nuit.

— Je ne sors la Buick que pour les grandes occasions. Ici, les hivers et les mauvaises routes sont catastrophiques pour les voitures. Le plus souvent, nous utilisons des avions ou des camionnettes.

Se souvenant de son retard de ce matin, elle ajouta en riant :

— Et aussi, de temps à autre, des dames aux longues jambes qui, certaines nuits, réclament toute votre attention ?

A peine eut-elle fermé la bouche qu'elle comprit le double sens de ses paroles.

Marc éclata de rire.

— Je n'ai aucun commentaire à faire.

Pour dissimuler sa gêne, elle demanda :

— Où sommes-nous ? M'emmenez-vous dans un night-club de campagne ?

— Vous verrez bien.

Quelques minutes plus tard, la voiture s'engagea dans un chemin empierré, puis s'arrêta. Ils étaient devant une maison de bois, seulement éclairée par une lumière sous le porche d'entrée. Ça n'avait pas du tout l'air d'un restaurant. Tracy était de plus en plus intriguée.

34

Marc vint lui ouvrir la portière, mais elle n'eut pas plutôt mis le pied à terre qu'il la souleva et la porta jusque devant l'entrée.

Il enfouit son visage dans ses cheveux avant de la déposer. Il entra sans frapper et appela :

— Maria ? Nous sommes là.

Tracy fut saisie par de délicieuses odeurs de cuisine qu'elle essaya d'identifier ; sans doute de l'agneau, des épices et du pain fraîchement cuit. L'eau lui vint à la bouche ; elle était d'autant plus affamée qu'elle avait sauté le repas de midi.

— Ah ! vous voilà !

Une femme à la poitrine imposante, ceinte d'un tablier immaculé, vint à leur rencontre.

— Je suis contente de vous voir, monsieur Durand.

— Tracy, je vous présente Mme Valcarlos. Maria, voici Tracy Cole, de New York.

— Soyez la bienvenue, mademoiselle.

Elle regarda Tracy avec intérêt et bienveillance.

— Venez donc près du feu. Vous devez être frigorifiée avec ce châle.

Elle les précéda dans une pièce meublée avec simplicité. Dans une imposante cheminée crépitait une flambée. Tracy s'approcha et tendit ses mains vers le feu. Pendant que Marc s'entretenait avec leur hôtesse, elle inspecta les lieux. Huit tables, recouvertes de nappes à carreaux, étaient éclairées par des petits chandeliers. Sur un des murs étaient accrochées des photos anciennes. Sans doute des photos de famille, avec des personnages à l'air figé dans leurs habits du dimanche.

Marc s'était approché sans bruit.

— Installons-nous ici, si vous voulez.

Il lui désigna la table la plus proche de la cheminée.

— Maria Valcarlos est basque. Avez-vous déjà goûté la cuisine basque ?

— Non, mais j'aime l'agneau ; c'est une des spécialités de cette région, je crois ?

— Oui, l'agneau revenu avec de l'oignon, de l'ail et du poivre chaud.

Ils s'installèrent. Aussitôt, Maria apporta du vin. Marc leva son verre :

— Tracy Amanda Cole, vous ne me croirez sans doute pas, mais je suis content que vous soyez venue à Brewster.

Sans la quitter des yeux, il but à petites gorgées.

Son toast surprit et réconforta Tracy. Peut-être... peut-être allait-elle réussir ?

— Merci, cela me fait plaisir de voir que...

Elle s'interrompit à la vue du jeune homme très beau qui venait d'entrer dans la pièce. Il salua Marc qui le présenta comme le fils de Maria, Roberto. Tout en répondant aux questions de Marc sur ses études, il tournait ses yeux de braise vers Tracy, et les détournait aussitôt avec embarras.

— Jouerez-vous pour nous tout à l'heure, Roberto ?

— Oh ! oui ! Je ne demande pas mieux. J'ai une nouvelle guitare à douze cordes, que je peux faire chanter comme un chœur d'anges !

Lorsqu'il parlait musique, il perdait toute timidité. L'hôtesse entra avec un plateau contenant une soupière fumante et une corbeille de pain à l'ancienne.

— Roberto, viens m'aider, s'il te plaît ! Tu parlais encore de ta guitare ?

— Oui, bien sûr. Je pourrai peut-être jouer tout à l'heure pour M. Durand et mademoiselle ?

L'imposante femme regarda son fils avec amour.

— Mais oui, s'ils en ont envie.

36

— Quand vous aurez fini avec la soupe, vous n'aurez qu'à sonner. Viens, toi !

Ils se dirigèrent vers la cuisine, mais Roberto se retourna pour adresser un timide sourire à Tracy.

— Ma parole, vous avez fait une conquête !

Elle se mit à rire :

— On le dirait. Il est très beau, mais tout de même un peu jeune pour moi !

— Ah ? Vous préférez les hommes mûrs, alors ?

Il haussa un sourcil, mimique désormais familière à Tracy et qui signifiait qu'il la taquinait. En portant sa cuillère à sa bouche, elle remarqua que sa main tremblait un peu. C'est l'altitude et le froid de tout à l'heure, se dit-elle.

Le sauté d'agneau que Maria leur apporta ensuite était délicieux. La conversation, détendue, était celle de deux personnes cherchant à se connaître. Marc lui demanda d'où elle venait, quelles étaient ses origines, et fut surpris d'apprendre qu'elle était née dans une petite ville du Middle West. A en croire Marc, ce n'était pas du tout son style.

Elle lui parla de ses parents et de son frère, Daniel. Un pli creusa le front de Marc quand, à son sujet, elle fit allusion à la guerre du Viêt-nam ; elle sentit qu'il ne voulait pas en parler. Alors, elle fit bifurquer la conversation sur ses souvenirs d'enfance et lui raconta ses équipées avec ses cousins.

— Ah ! je comprends mieux que vous n'ayez pas eu peur, tout à l'heure !

D'autres convives étaient arrivés. Un couple fit un petit signe à Marc et alla s'installer de l'autre côté de la salle. L'atmosphère restait calme et intime.

La chaleur de la pièce, le repas et le vin, tout concourait à donner à Tracy un sentiment de griserie légère et très agréable.

Quand le dessert arriva, elle se rendit compte

qu'elle avait beaucoup plus parlé d'elle que Marc de lui-même. Elle avait appris peu de chose sur lui. Où étaient ses parents ? Avait-il des frères et sœurs ? Elle s'apprêtait à le questionner mais, soudain, une musique s'éleva en provenance d'une partie de la pièce à moitié cachée dans l'ombre et qu'elle n'avait pas remarquée.

Peu à peu, le son s'amplifia. Roberto s'était mis à jouer, merveilleusement bien. Tour à tour douce et violente, la musique sensuelle de la guitare éveillait en Tracy une sensation d'harmonie qu'elle n'avait jamais éprouvée.

Quand il commença un slow, Tracy se retrouva tout naturellement dans les bras de Marc qui la conduisit sur la petite piste de danse faiblement éclairée, au bord de laquelle Roberto était installé sur un tabouret haut.

Tracy glissa ses doigts dans les boucles brunes de Marc. Serrés l'un contre l'autre, ils étaient merveilleusement accordés.

Un morceau s'enchaînait à l'autre, sans discontinuité, comme dans un rêve. Ils n'échangèrent pas une parole ; les mots étaient inutiles tandis qu'ils évoluaient au rythme envoûtant de la musique. Tracy ferma les yeux, la tête blottie dans l'épaule de Marc. Elle se sentait un peu ivre et, en même temps, merveilleusement légère.

Un trouble soudain la submergea quand Marc effleura ses seins, tendus sous la soie de sa blouse. Le désir qu'elle éprouvait pour lui était si intense que plus rien d'autre n'avait d'importance. Seuls existaient la présence de cet homme, la chaleur de son corps contre le sien, la danse amoureuse qui les unissait.

La guitare finit par se taire, mais ils continuèrent

à évoluer, enlacés, pendant quelques instants. Puis Marc lui murmura à l'oreille :

— Venez. Allons-nous-en d'ici.

Il lui prit la main et ils retournèrent à leur table. Il n'y avait plus personne et presque toutes les lumières étaient éteintes.

Marc posa le châle sur les épaules de Tracy.

— Je voudrais dire à Mme Valcarlos combien tout était parfait, protesta-t-elle faiblement.

— Ne vous inquiétez pas, nous reviendrons.

Dehors, l'air était glacé ; elle frissonna.

— Rentrez à l'intérieur et attendez-moi. Je vais mettre le chauffage dans la voiture.

— Non, ça ira. Dépêchons-nous.

Il la prit par les épaules et tous deux coururent vers la voiture. Marc mit le moteur en marche et ouvrit le chauffage, puis attira Tracy contre lui. Elle glissa sa main sous son pull-over, en quête d'un peu de chaleur. Il frictionna son dos et ses bras, puis ses mouvements se firent plus lents. Leurs lèvres se rencontrèrent. Tandis qu'ils échangeaient un long baiser plein de douceur et de passion, Marc continuait ses caresses. Sa main descendit sur ses hanches, puis remonta lentement jusqu'à ses seins. Un petit cri lui échappa et elle se cambra contre lui. Après un long moment, leurs bouches se quittèrent. Marc prit son visage entre ses mains et murmura :

— Vous n'avez plus froid ?

Si Tracy était encore parcourue de frissons, ce n'était pas de froid, mais de plaisir. Pour toute réponse, elle se blottit contre lui. Elle aurait voulu que ce moment ne finisse jamais, qu'il ne soit plus jamais question entre eux ni de mines ni de vente de terrains. Elle savait bien que c'était impossible et se redressa, les mains tremblantes, repoussant une mèche de son front. Marc s'approcha, mais elle l'arrêta, une main posée sur sa poitrine.

— Non, Marc. J'ai chaud, maintenant.

Mais quand, à nouveau, il se pencha vers sa bouche, elle ne résista pas et répondit à son baiser avec la même ardeur. Sa main glissa vers son dos et elle laissa courir ses doigts sur les muscles tendus. La respiration de Marc se précipita tandis qu'elle l'attirait contre elle, enivrée du plaisir qu'elle donnait et qu'elle recevait. Le désir qui montait en elle exigeait impérieusement d'être satisfait. Marc releva la tête et la regarda. Les yeux à demi fermés, elle attendit, immobile, qu'il ose les gestes qu'elle espérait.

Comme s'il avait compris son message muet, il entreprit de déboutonner son corsage avec précaution, comme s'il craignait de déchirer le tissu. Son visage reflétait sa tension intérieure. Du bout des doigts, Tracy effaça le pli qui s'était creusé sur son front. La lenteur de ses gestes augmentait encore l'impatience qui s'était emparée d'elle. Elle sentit tout son corps s'embraser quand il dégrafa enfin son soutien-gorge.

Ses seins ronds et épanouis, gonflés de désir, brillaient doucement dans la lumière nocturne. Elle prit la main de Marc et la posa elle-même sur sa poitrine. Il poussa un petit gémissement étouffé et se pencha pour la couvrir de baisers. Elle fut secouée d'un frisson d'intense volupté. Elle était prête, là, dans cette voiture, à se donner tout entière à l'homme qui savait éveiller sa sensualité jusqu'à abolir le monde extérieur et à lui faire perdre son sens, pourtant aigu, des convenances.

Les mains qui pétrissaient ses seins lui faisaient presque mal à force de plaisir. Elle se cambra contre

40

lui avec violence et il voulut prendre sa tête dans ses bras.

Soudain, un bruit strident retentit et Tracy se rejeta en arrière. Son cœur qui, déjà, battait follement se mit à galoper. Le bruit s'arrêta. Elle regarda alentour et comprit qu'elle avait appuyé sur le Klaxon. Un fou rire nerveux la secouait, qu'elle ne pouvait arrêter.

— Vous l'avez fait exprès, ou quoi ?

Marc s'était rembruni. Elle secoua la tête, incapable d'articuler une phrase.

Marc mit le contact et, quelques secondes plus tard, ils descendaient la route. Tracy se rajusta et essuya ses larmes avec un mouchoir que Marc lui tendit sans dire un mot, apparemment absorbé par la conduite.

Tracy qui, peu à peu, avait repris son sérieux, regarda son profil éclairé par la lune. Avec ses cils sombres, ses épais sourcils noirs, ses grands yeux pleins d'intelligence, il aurait été d'une beauté parfaite, si une petite bosse n'avait un peu déformé l'arête de son nez. Tracy pensa qu'il avait dû avoir un accident et allait lui poser la question, mais son air tendu la découragea. Elle se mit à regarder le paysage qui défilait.

Soudain, le rire de Marc s'éleva.

— Je pense qu'il vaudrait mieux trouver un autre endroit que la voiture. La prochaine fois, j'y penserai !

Il coupa le moteur. Tracy s'aperçut qu'elle était devant son hôtel et fut brusquement ramenée à la réalité. Qu'était-il donc arrivé à Tracy Cole, si sûre d'elle et de sa capacité à garder ses distances avec Marc Durand ? Mais, tout au fond d'elle-même, elle savait qu'elle ne regrettait rien.

Marc ouvrit la portière. Elle descendit et il la

reconduisit jusqu'à l'entrée de la maison. A deux reprises, elle faillit glisser sur la glace et se rattrapa de justesse à son bras.

— Je peux continuer toute seule, merci.

— Je reconduis toujours les dames jusqu'à leur porte, selon les bons principes que m'a inculqués mon père.

Ils gravirent les trois étages.

— Je pense que nous avons trouvé un remède fantastique contre le froid ; nous enverrons demain un rapport sur notre découverte à l'Académie de médecine.

Elle se retourna pour lui sourire. Arrivés à la porte de sa chambre, ils se regardèrent longuement. Tracy, soudain gênée par le regard éloquent de Marc, baissa la tête pour chercher la clef dans son sac. Ses mains tremblaient un peu quand elle l'approcha de la serrure. Marc la lui prit des mains et tourna un tour sans ouvrir.

— Merci.

La voix de Tracy était ferme.

— J'ai passé une soirée délicieuse.

Elle hésita, puis décida de fixer un autre rendez-vous pour présenter l'offre de sa société.

— Pouvons-nous nous voir demain, à huit heures et demie, dans la salle à manger ?

— Impossible. Je vais à Seattle pendant le week-end.

Ses doigts effleurèrent son menton, puis ses lèvres.

— Vous devrez attendre lundi.

— Lundi ! Mais je dois partir !

Les bras de Marc se refermèrent sur elle. Elle tenta de le repousser, mais il l'avait plaquée contre la porte.

— Après quelques jours ici, vous comprendrez

42

que notre rythme de vie est bien plus lent que celui de l'Est. Et puis, vous aurez le temps de visiter Brewster et ses environs.

— Mais je ne suis pas en vacances, moi !

Il la fit taire d'un baiser qui la laissa sans voix, puis disparut dans l'escalier en lançant :

— A lundi !

Elle pénétra dans sa chambre et, comme elle l'avait fait le matin même, se mit à la fenêtre pour regarder rêveusement Marc s'éloigner.

4

Tracy passa une nuit épouvantable. Elle s'éveilla
sans cesse, l'esprit agité par des questions auxquel-
les elle ne pouvait répondre.

Pourquoi Marc avait-il demandé à voir un représentant de la société alors qu'il était sur le point de
s'absenter ? Qu'avait-il de si urgent à faire à Seattle ? Mme Quartermain lui avait dit qu'Elise Schell et
son grand-père y étaient. Allait-il retrouver Elise ?

Puis elle s'en voulut de se préoccuper ainsi des
faits et gestes de Marc Durand et de s'être laissé
griser par ses caresses et ses baisers. Elle le connaissait depuis vingt-quatre heures et, déjà, il occupait
toutes ses pensées. Pourtant, elle ne l'aimait pas.
Une telle chose ne pouvait se produire si rapidement. C'est du moins ce dont elle essayait de se
convaincre.

La veille au soir, elle avait imaginé qu'un dîner
avec Marc Durand lui permettrait de le connaître
davantage et d'avoir plus de prise sur lui pour
mener ses négociations. Mais c'est elle qui avait

parlé et s'était laissé séduire aussi facilement qu'une collégienne à son premier rendez-vous.

Qu'arriverait-il, la prochaine fois ? Pourrait-elle résister ? Le voudrait-elle ?

Elle avait jusqu'à lundi pour résoudre ce problème. En attendant, il lui fallait trouver de quoi occuper deux grandes journées dans une ville étrangère et noyée sous la neige. La perspective n'en était guère exaltante.

Elle soupira et décida, tout en se préparant, d'aller à pied au centre-ville. Au moins pourrait-elle explorer la bibliothèque et voir s'il y avait un théâtre ou un cinéma.

Elle descendit prendre son petit déjeuner et parcourut l'hebdomadaire local.

Elle trouva qu'il était très bien fait. Les articles, clairs et bien écrits, faisaient le point sur les événements nationaux et internationaux. Les photos étaient bonnes et les publicités discrètes. Elle pensa qu'elle pourrait passer à la rédaction. Sans doute pourrait-elle trouver des renseignements intéressants sur la vie locale ? En regardant le nom du rédacteur en chef, elle vit qu'il s'agissait d'un dénommé Kent Regan. Marc avait prononcé ce nom, la veille, comme étant celui de l'un de ses amis d'enfance, avec lequel il venait jouer à Mille Fleur House.

Mme Quartermain vint lui faire signer la note de la veille. Etonnamment légère, pensa Tracy. Si la Magnum Mining ouvre une exploitation minière, les prix vont sans doute faire un bond.

— Dites-moi : la bibliothèque est-elle ouverte, aujourd'hui ?

— Bien sûr ! Ici, nous lisons beaucoup. Nous ne recevons pas la télévision, à cause des montagnes.

La gérante lui expliqua que la bibliothèque avait été construite aux frais de Tobias Brewster.

— Il a constitué un fonds public. Ses propres livres sont ici, à Mille Fleur House, au second étage. Je vous les montrerai, si ça vous intéresse.

— Merci, j'en serais ravie. A propos, j'aimerais avoir un endroit pour travailler avec Marc Durand. Croyez-vous qu'il serait possible d'utiliser la bibliothèque ?

— Ça ne pose pas de problème. Prévenez-moi seulement un peu à l'avance, de façon à ce que j'ouvre le chauffage.

Chaussée de ses bottes fourrées, le col de sa veste relevé jusqu'au menton, Tracy s'engagea dans la rue déserte et silencieuse, seulement troublée par le crissement de la neige sous ses pas. Cela accroissait le sentiment d'irréalité qu'elle éprouvait depuis son arrivée à Brewster.

Après avoir vu la bibliothèque, elle s'acheta quelques livres au drugstore et but un chocolat chaud. Il ne lui restait plus qu'à rentrer lire dans sa chambre. Sur le chemin du retour, elle avisa l'enseigne d'un salon de coiffure et d'esthétique. L'envie lui vint de se faire laver les cheveux. Cela occuperait une bonne heure dans cette journée languissante et pleine d'ennui...

Elle dîna de bonne heure et monta dans sa chambre en espérant passer une meilleure nuit que celle de la veille. Une fois installée dans son lit, bien calée contre les oreillers, elle repensa à ce qu'elle avait appris l'après-midi même.

Blanche Pomeroy, la propriétaire du salon de coiffure, était une redoutable bavarde, trop heureuse d'être tombée sur quelqu'un d'étranger à la ville, à qui elle pouvait raconter tous les potins.

Au bout d'une heure, Tracy savait tout, ou presque, sur Brewster. Les familles Durand, Schell et Regan avaient été parmi les premières à s'installer et à faire fortune dans les mines d'argent. Kent Regan était propriétaire du journal fondé en 1880 et Marc Durand était le plus riche propriétaire foncier de la région. Elise, Marc, Kent et Frank Harlow étaient des amis d'enfance. Quand Kent et Marc étaient partis à l'université, Elise avait surpris tout le monde en épousant Frank Harlow qui était devenu shérif.

— Marc resta longtemps à San Francisco et en revint marié. Mais sa femme détestait l'Idaho et ils divorcèrent au bout de cinq ans, lui avait expliqué Mme Pomeroy.

— C'est curieux qu'il ne se soit pas remarié, non ? avait demandé Tracy en dressant l'oreille.

— Oh ! ce n'est pas faute d'occasions ! J'en connais plus d'une, de dix-huit à quarante-cinq ans, qui a essayé de se faire épouser. Mais il semble endurci dans le célibat. Peut-être que le mariage de Frank et Elise lui a ôté toute envie de tenter une nouvelle expérience ? Si jamais une union fut infernale, c'est bien celle-ci. Frank était d'une jalousie morbide à l'égard de Marc, qu'il accusait d'avoir une liaison avec Elise. Puis il est mort, tué au cours d'une chasse. Tout le monde s'est posé bien des questions sur ce qui a pu se passer réellement. Les paris sont ouverts pour savoir qui épousera Elise Schell : Kent Regan... ou Marc Durand !

A ces paroles, Tracy avait eu un pincement au cœur, comme si elle était directement concernée par ces révélations. Malgré elle, elle avait terriblement envie de savoir ce qui s'était passé à cette chasse et si Marc épouserait ou non Elise.

Elle se redressa contre les oreillers et essaya vainement de lire, mais son esprit était entièrement occupé par la pensée de Marc. Il s'était d'abord fait attendre, puis il l'avait insultée, pour enfin mener une entreprise de séduction à laquelle non seulement elle n'avait pas résisté, mais encore avait répondu avec passion. Enfin, il l'abandonnait, seule, dans une ville inconnue, prétextant avoir à faire à Seattle, sans fournir la moindre explication. Jamais encore on ne l'avait traitée aussi cavalièrement. Et voici que, pour couronner le tout, elle apprenait l'éventualité d'un mariage avec Elise Schell! Tracy fronça les sourcils au souvenir de la soirée de la veille. Elle ne pouvait imaginer que ce soit là le comportement d'un homme sur le point de se marier. Quel jeu jouait-il? Elle renonça, ce soir-là, à y réfléchir davantage, éteignit la lumière et sombra dans le sommeil.

Un bruit à sa porte la réveilla. Elle envoya au diable l'intrus et ne répondit pas. Mais on insistait.

— Une minute!

Elle enfila en hâte une robe de chambre sur sa chemise de nuit courte et alla ouvrir.

Marc Durand était appuyé contre le chambranle, les bras croisés.

— Mais, je croyais...

Il sourit de sa surprise et, sans répondre, la serra contre lui, puis il la souleva dans ses bras, entra et ferma la porte avec son pied. Tracy résista difficilement à l'envie de refermer ses bras sur sa nuque.

Malgré toutes ses belles résolutions, elle le laissa se pencher sur elle et l'embrasser. Toute sa passion renaissait, tout le désir qu'il lui avait déjà fait éprouver se réveillait. Elle lui rendait ses baisers avec ardeur. Une fois de plus, son corps la trahissait. Tracy comprit que, si elle ne s'arrachait pas immédiatement à cette étreinte, elle était perdue. Elle le repoussa.

— Dites-moi ce que vous faites ici !

Sa voix n'était pas aussi ferme qu'elle aurait voulu. Il la relâcha, mais laissa sa main posée sur son bras, comme s'il avait besoin de ce contact intime.

— Le temps menaçait de se gâter. Aussi, je me suis dépêché de finir mes affaires au plus tôt.

— Et on peut savoir de quoi il s'agissait ?

Les mots lui avaient échappé. Marc la regarda d'un air amusé.

— Je suis allé retrouver Elise et son grand-père, Tom. Il suit un traitement médical à Seattle.

Gênée de la curiosité déplacée qu'elle avait manifestée, elle déclara d'un ton enjoué :

— Je suis contente de vous voir. Nous allons enfin pouvoir nous mettre à discuter sérieusement de notre affaire. Je pourrai donc partir lundi ou mardi.

— Pourquoi êtes-vous si pressée ? Notre ville ne vous plaît pas ?

Elle aurait voulu lui dire qu'elle ne lui plaisait que lorsqu'il était là. Sa présence, ce matin-là, rendait encore plus manifeste le fait qu'elle n'avait qu'une envie : être avec Marc, se donner à lui, s'abandonner aux sensations vertigineuses qu'elle ressentait dans ses bras, et ne plus penser ni au cobalt, ni à Magnum Mining, ni à Elise. Il parut lire dans ses pensées.

— Que se passe-t-il ? Vous avez du mal à tenir votre rôle de représentante de la Compagnie Magnum Mining ? Pourtant, à Harvard, on a dû vous expliquer comment vous y prendre, non ?

Elle se détourna pour cacher son trouble.

— Pouvez-vous aller m'attendre en bas ? Nous pourrions parler affaires tout en déjeunant. Demain matin, je dois faire part à ma direction de votre réponse, et que pourrais-je dire si je n'ai même pas pu vous préciser leur offre ?

Marc la regarda, un sourcil levé.

— Et moi, je propose que vous vous habilliez chaudement et que vous veniez visiter le ranch. Mettez un pantalon et des bottes, nous pourrons faire une promenade à cheval.

— Mais je n'ai pas l'intention d'aller dans votre ranch ! Je ne suis pas ici pour monter à cheval ni pour faire du tourisme.

Marc s'approcha d'elle et plongea son regard dans le sien. Elle sentait sa résolution faiblir, mais ne voulait pas s'avouer vaincue. Alors, les bras de Marc se refermèrent sur elle et, au lieu d'un refus, c'est un soupir d'acquiescement qui sortit de ses lèvres.

Déjà, ses mains prenaient possession de son corps. Instinctivement, elle se serra tout contre lui et tendit sa bouche vers la sienne.

Quand il parla, sa voix était rauque et basse.

— Préparez-vous vite, nous avons une foule de choses à faire.

En trois enjambées, il fut dehors.

Elle resta immobile quelques instants, abasourdie par ses propres réactions. Elle secoua la tête, résignée à ce qu'elle ne pouvait ni, peut-être, ne voulait empêcher. Un pantalon de velours, un gros pull-over et des bottes de neige feraient l'affaire. Elle releva ses cheveux et sortit des lunettes de soleil. Jamais elle ne s'était sentie aussi surexcitée à l'idée d'un rendez-vous. Mais, tout de même, elle n'oublia pas de prendre les documents de la société.

Il n'était pas neuf heures et demie quand elle pénétra dans la salle à manger. Marc, installé à une table près de la fenêtre, se leva courtoisement.

— Pour quelqu'un qui est sorti du lit il y a juste dix minutes, vous êtes parfaite !

Tracy posa son porte-documents par terre, près de sa chaise, et le regarda, les sourcils froncés.

— Il va falloir que je dise quelques mots à Mme Quartermain à propos des hommes qui s'autorisent à monter au troisième étage.

Marc sourit d'un air complice.

— Qu'allez-vous prendre ? Moi, je meurs de faim.

Il s'absorba dans la lecture du menu tandis que Tracy l'observait, essayant de faire coïncider ce qu'elle ressentait en sa présence et ce qu'avait pu dire Blanche Pomeroy. Son intuition lui disait qu'il n'était pas seulement un don Juan sans scrupules. Son beau visage, son corps puissant donnaient l'image d'un homme sûr de soi et de sa place dans le monde. Mais, au fond de ses yeux, elle devinait la solitude d'un être en quête de quelque inaccessible étoile...

Mais pourquoi se poser toutes ces questions dont elle ne connaîtrait jamais les réponses ? Elle releva la tête et vit que Marc la fixait. Chacun essayait de lire un message caché dans les yeux de l'autre.

Enfin, Marc parla, d'une voix curieusement grave :

— Je donnerais cher pour savoir ce que vous pensez.

Tracy baissa les yeux et déplia sa serviette sur ses genoux.

— Je... je me demandais comment vous aviez pu faire si vite l'aller et retour à Seattle.

Elle le regarda droit dans les yeux.

— J'ai un avion rapide et nous avons décollé tôt.

Il s'interrompit, le sourcil levé.

— Vous savez, Tracy, je vous admire. Vous vous en sortez avec une aisance étonnante.

Il avança la main et lui caressa légèrement la paume.

— Je me réjouis à l'avance de ces quelques semaines de travail avec vous.

— Quelques semaines ? Que voulez-vous dire ?

Marc haussa les épaules d'un air désinvolte.

— Qu'est-ce qui vous empêcherait de combiner des vacances avec un voyage d'affaires ? N'est-ce pas votre premier séjour par ici ? Profitez-en !

— Je vous répète que je ne suis pas là pour m'amuser, mais pour négocier avec vous la vente de vos terres. Et puisque nous avons pas mal de choses à voir, nous pourrions commencer tout de suite.

Elle retira une épaisse chemise bleue en plastique de son porte-documents. Le sigle familier de la compagnie qui s'inscrivait en lettres d'argent lui fit évoquer son bureau tranquille et sa vie si bien organisée. Depuis son arrivée à Brewster, tout lui semblait bouleversé, et elle savait bien par qui : par cet homme assis là, de l'autre côté de la table.

Il attrapa la liasse de papiers et, sans même y jeter un coup d'œil, la déposa sur la chaise à côté de lui. A ce moment, une serveuse vint prendre leur commande.

— Bonjour mademoiselle, bonjour monsieur. Que puis-je vous servir, ce matin ?

Ils firent leur choix, puis Tracy voulut reprendre la chemise afin de lui montrer le rapport qui concernait les problèmes d'environnement, mais il l'en empêcha.

— Pas encore. Je suis incapable de réfléchir avant d'avoir bu mon café et avalé quelque chose.

Peut-être, pensa Tracy, mais vous êtes capable de vous livrer à une petite tentative de séduction ! Elle chassa cette évocation et tenta à nouveau de revenir à la charge.

— Nous avons beaucoup à voir. Nous ferions mieux de commencer immédiatement.

— Non.

Le ton était sans réplique.

— Racontez-moi plutôt ce que vous avez fait en mon absence.

Elle céda :

— Hier je suis allée me faire laver les cheveux chez Blanche Pomeroy. J'ai eu droit à tous les potins.

Il éclata de rire.

— Oh ! je n'en doute pas. Et que vous a-t-elle raconté ?

L'arrivée du petit déjeuner l'empêcha de répondre tout de suite. Elle s'aperçut qu'elle aussi était affamée. Quand ils se furent restaurés, Marc l'interrogea :

— Que vous a raconté Blanche ?

— Oh ! ce n'est pas important. Des bavardages...

Marc posa fourchette et couteau et attendit.

— Bon. Elle m'a parlé de Frank, de Kent et de vous. Il paraît que vous étiez de grands amis, inséparables, et...

Elle n'avait pas envie de poursuivre. Ce fut Marc qui enchaîna.

— Et elle vous a parlé de la jalousie et de la haine de Frank Harlow, de son mariage malheureux et de sa mort. Je me trompe ?

Tracy secoua la tête.

— Eh bien, oui ! Vous savez, j'avais les cheveux trempés, j'étais bien obligée d'entendre ce qu'elle disait. J'ai bien essayé de l'arrêter, mais j'étais une aubaine pour elle ! Enfin quelqu'un qui ne savait rien et à qui on pouvait tout raconter !

— Elle adore raconter les événements tragiques de Brewster.

Marc saupoudra de poivre ses œufs et se remit à manger, se désintéressant apparemment du sujet.

Tracy poussa son assiette et demanda tranquillement :

— Qu'est-il arrivé, dans la montagne ?

Marc leva la tête et la regarda droit dans les yeux :

— Si vous avez écouté Blanche, vous savez tout ce qu'il y a à savoir. Il y a un an, l'attitude de Frank a changé, comme s'il réalisait que sa jalousie à mon égard était complètement injustifiée. Lorsque Kent et moi avons accepté d'aller à une partie de chasse avec lui, c'était comme si le bon vieux temps était revenu.

Il secoua la tête, comme accablé par le poids des souvenirs.

— Frank a visé un cerf, puis il est parti à sa recherche et n'est jamais revenu. Quand nous l'avons trouvé, il était mort. Accident ou suicide, on ne le saura jamais.

— Ça a dû être terrible pour Elise !

Tracy mourait d'envie de lui demander s'il aimait Elise et s'il avait l'intention de l'épouser. Mais, décemment, elle ne le pouvait pas. Libre à Marc de lui en parler s'il en avait envie. En attendant, elle ne pouvait que se livrer à des hypothèses.

Par la fenêtre, elle voyait le jardin couvert de givre, avec, au fond, la rivière plus sombre. Elle aurait voulu sortir, respirer l'air chargé des senteurs de pin, écouter le murmure du vent dans les arbres. Surtout, elle désirait passer la journée avec Marc, connaître son univers, sa maison, sa famille. Malheureusement, il fallait parler affaires, argent, vente, achat...

— Mme Quartermain nous autorise à travailler dans la bibliothèque. Avant d'aller au ranch, nous...

Marc se leva et déclara avec une conviction comique :

— Nous sommes aujourd'hui dimanche et les règlements en vigueur en Idaho interdisent de travailler ce jour-là. De plus, nous avons un programme de réjouissances très chargé. J'ai bien l'intention que cette journée reste gravée dans votre mémoire, Tracy Cole !

5

Tracy laissa Marc bavarder avec Mme Quartermain et monta dans sa chambre prendre une veste et ce dont elle pourrait avoir besoin au ranch. Elle se jura que c'était la dernière fois qu'elle cédait. Dès demain, elle saurait bien obliger Marc à discuter de la proposition de la compagnie.

Dans son petit sac, elle disposa rapidement un jean, et des bottes western achetées à New York l'année précédente. Elle attrapa son sac à main, mais laissa le porte-documents, tout à fait inutile. Aujourd'hui, le plaisir, demain le travail !

En descendant l'escalier, elle aperçut Marc qui se tenait tout près d'une jeune femme dont elle apercevait, de dos, la mince silhouette serrée dans un pantalon de velours vert amande. Ses cheveux d'or pâle tombaient sur ses épaules. Elle s'arrêta sur le palier, mais Marc leva les yeux, lui sourit et lui fit signe de descendre. La jeune femme se retourna vers Tracy sans sourire.

— Tracy Cole, je vous présente Elise Schell.

Elles s'adressèrent des mots conventionnels de bienvenue et se serrèrent la main.

— J'espère que votre chambre vous plaît, mademoiselle Cole ?

— Oui, merci. Elle est ravissante.

Le visage de Marc était impénétrable. Elise reprit :

— Vous pourriez peut-être venir demain dans mon appartement, au second étage, et voir grand-père ? Nous bavarderons. Je crois que, pour aujourd'hui, vous avez un programme chargé.

Son beau visage paraissait infiniment triste. Elle se tourna vers Marc :

— Amusez-vous bien. Et toutes mes félicitations ! Vous gagnez toujours, n'est-ce pas ?

Son regard se reporta sur Tracy.

— Au revoir, mademoiselle. A demain.

Elise s'éloigna d'un pas rapide. Marc précéda Tracy vers la porte.

— Venez, sortons d'ici avant que Mme Quartermain ne revienne. Elle est terriblement bavarde !

Cette fois, il avait pris la camionnette rouge. Tracy en faisait le tour quand une grosse boule de fourrure noire bondit devant elle en aboyant bruyamment.

— Tais-toi, Daphné. C'est une amie.

Le chien s'appuya sur la portière et flaira Tracy qui grimpa dans la voiture, à moitié rassurée.

— Pourquoi Daphné ? C'est un nom curieux.

— Je l'ai appelée comme ça en souvenir d'une infirmière que j'ai connue à l'armée.

— Ce n'est pas très flatteur pour l'infirmière !

— Si vous l'aviez vue, vous en comprendriez la raison !

Ils se mirent en route, mais les aboiements de

l'animal rendaient la conversation difficile. Tracy dut crier pour se faire entendre.

— Elle est de quelle race ?

— C'est un terre-neuve.

Il mit en seconde pour descendre le chemin et attira Tracy près de lui avec un sourire.

— J'aime vous sentir près de moi...

Ils traversèrent le canyon, puis les montagnes escarpées firent place à une plaine qui s'ouvrait en éventail et laissait voir, au loin, des collines ondoyantes. Les arbres étaient rares. Les troupeaux de bovins levaient la tête sur leur passage.

Grâce à Daphné, Tracy avait glané un autre renseignement sur Marc. Il avait été blessé à l'armée. Comment ? Où ? Elle ne le saurait probablement jamais. Marc esquivait toutes les questions personnelles ; pourtant, elle demanda :

— Que voulait dire Elise quand elle a déclaré que vous gagnez toujours ?

— Vous verrez bien.

Elle se le tint pour dit et n'insista pas. Marc arrêta la camionnette devant une maison en bois du Brésil.

— Quelle maison magnifique !

Elle était émerveillée devant l'architecture si parfaitement intégrée au paysage qu'elle semblait un prolongement des collines environnantes. Non loin, un ruisseau serpentait à travers des bouquets de bouleaux et de trembles. Un homme s'avança vers eux ; il tenait un seau à la main et clignait des yeux, aveuglé par la fumée de sa cigarette.

— Madame.

Il salua, puis se tourna vers Marc.

— Andy est venu dire qu'un morceau de clôture est tombé du côté de Holy Rock.

— Bon. Je verrai ça.

Marc réfléchit un instant.

— Tracy et moi nous monterons à cheval, ce matin. Sellez Whisper et Suzette. Venez, Tracy, vous allez pouvoir vous changer.

Marc se chargea du sac à bandoulière et du cabas de toile de Tracy et il se dirigea avec elle à l'intérieur de la maison. Le vestibule ouvrait à gauche sur une salle à manger, mais ils continuèrent d'avancer dans un long couloir. Marc ouvrit la porte d'une chambre. Il déposa les affaires sur un siège.

— Vous pouvez vous changer ici. Je reviens.

Tracy ôta sa veste et ses lourdes bottes fourrées. Le solide mobilier de bois, très simple, aux tons chauds, était en harmonie avec ce qu'elle avait pu apercevoir de la maison.

Elle ouvrit les épais rideaux et découvrit une vue superbe sur les montagnes. De loin, elles semblaient moins formidables, mais étaient tout de même impressionnantes. Elle resta un moment absorbée par le spectacle des pics en dents de scie couverts de glaciers étincelants. Enfin, elle se mit en devoir de revêtir sa tenue d'équitation. Elle venait d'enlever son pantalon quand on frappa à la porte. Sans attendre la réponse, Marc ouvrit. Elle laissa échapper un cri de surprise.

— Je suis désolé, Tracy. Je pensais que vous seriez déjà prête.

Malgré les excuses qu'il venait de proférer, il ne sortit pas ; son regard se posa sur le corps à demi vêtu de Tracy.

Le cœur de la jeune femme se mit à battre à tout rompre, tandis qu'au plus profond d'elle-même elle était prise d'un trouble étrange. Elle détourna la tête pour ne pas montrer son visage qui s'était empourpré. Il fallait faire quelque chose, n'importe quoi, pour rompre le charme.

— Donnez-moi une minute pour finir de m'habiller.

— Tracy, je...

Sa voix était devenue rauque. Il finit d'entrer et s'arrêta au milieu de la pièce. Tracy n'avait qu'un désir : franchir la distance qui les séparait, se blottir contre lui et rester là pour toujours. Mais elle n'en fit rien et commença à enfiler son jean en lui tournant le dos.

— Juste un instant, Marc, j'arrive.

Sa voix était volontairement neutre. Marc s'était assis sur le lit, le dos contre la tête de bois, les bras derrière la nuque. Il la fixait avec une troublante intensité.

— Vous avez vraiment l'art de vous adapter aux situations, Tracy.

— Je ne saisis pas à quoi vous faites allusion.

— D'autres que vous se seraient affolées, auraient poussé des cris en se voyant surprises dans... ce genre de tenue.

— Oh ! vous savez, ce n'est pas plus indécent qu'un maillot de bain... Et puis, je commence à avoir l'habitude de vous trouver dans ma chambre.

Marc rit sous cape tandis qu'elle chaussait ses bottes.

— Voilà ! je suis prête.

Le regard de Marc exprimait un désir qu'elle ne pouvait ignorer. Campée devant le lit, c'est elle, maintenant, qui l'attendait. Mais au lieu de se lever, il saisit sa main, l'ouvrit et embrassa la paume. Ce geste de tendresse surprit Tracy qui se laissa tirer vers lui et, sans se défendre, bascula sur le lit.

— Tracy, depuis l'autre soir, dans la voiture, je n'ai plus qu'une idée, achever ce que nous avions commencé. Dites-moi que vous le voulez aussi.

Elle secoua la tête.

— Pourtant, quand je suis entré, j'ai vu votre visage se transformer. Pourquoi ne pas accepter ce que, de toute façon, vous ne pouvez empêcher ?

Il avait raison et elle le savait parfaitement, mais quelque chose en elle se refusait à le dire.

— Ce n'est pas vrai.

Sa voix était tellement altérée que cette dénégation constituait, en fait, un aveu. C'est bien ainsi que Marc le comprit. Il se pencha sur son visage. Sous ce regard qui lisait chacune de ses pensées, elle ferma les yeux.

— Non, Marc, je...

Mais avant qu'elle achève sa phrase, il prit possession de sa bouche entrouverte. Le baiser ardent de ses lèvres chaudes la laissa haletante, prête à tout donner, à tout recevoir.

Il se redressa et la fixa à nouveau, comme s'il attendait sa réponse. Puis il posa la main sur son sein et descendit lentement jusqu'à la taille. Il souleva son pull-over et dégrafa son soutien-gorge sans cesser de tenir ses yeux plongés dans les siens. Alors elle glissa son bras autour de lui et l'attira contre elle.

Cet homme la rendait folle, réduisait à néant toutes ses résolutions. Elle ne se reconnaissait pas elle-même et, pourtant, elle ne pouvait ignorer qu'il ne faisait que lui révéler ce qu'elle avait toujours été, sans vouloir se l'avouer, une femme sensuelle, ardente, passionnée.

— Tracy...

Il murmurait son nom et, chaque fois, effleurait ses lèvres.

— Dites-moi que vous me désirez. Dites-le.

Dans un souffle, elle avoua enfin :

— Oui.

Et ce fut comme si, d'avoir proféré ce mot, son

désir en était décuplé. Débarrassée de son pull-over, elle se laissait aller au plaisir enivrant que lui donnaient les lèvres de Marc qui couraient sur sa poitrine tandis que sa main effleurait ses jambes enserrées dans le jean épais.

Quand elle voulut déboutonner sa chemise, il se redressa brusquement, comme s'il revenait à la réalité, et s'assit sur le bord du lit.

Elle le regarda sans comprendre. Que se passait-il ? Ne la voulait-il pas, lui aussi ? Sans un mot, il lui prit le bras, la fit se mettre debout devant lui et posa ses mains sur ses hanches.

— Oui, Tracy. Je sais maintenant que vous voulez vraiment être mienne.

Il se leva à son tour et la serra si fort contre lui qu'elle put sentir à quel point il la désirait. Les yeux noyés de désir, elle s'appuya de tout son poids contre ce corps puissant. L'émotion violente qu'elle ressentait lui donnait une sensation de vertige.

Il prit sa tête entre ses mains, lissa ses cheveux en désordre. Puis il déclara, d'une voix altérée :

— Mais pas maintenant ; ce n'est pas possible.

Ce fut comme s'il lui avait lancé une gifle à toute volée. Des larmes de colère, de honte, de désarroi lui montèrent aux yeux. Avant qu'elle puisse parler, il mit un doigt sur sa bouche.

— Souvenez-vous que l'attente décuple le plaisir.

Elle en aurait hurlé ! L'amener au paroxysme et l'abandonner ! Elle fit un effort terrible pour ne pas éclater en sanglots.

— Quel jeu jouez-vous, Marc Durand ?

Puis elle baissa la tête, incapable de poursuivre.

Comment avait-elle pu être assez bête pour lui avouer l'envie qu'elle avait de lui ? Ne comprenait-elle pas que tout cela ne visait qu'à la réduire à néant pour mieux la manœuvrer dans les négociations ? Sans doute était-ce à cela qu'avait fait allusion Elise Schell, tout à l'heure ? Il avait dû lui expliquer la façon dont il s'y prendrait pour la ridiculiser à tout jamais, y compris à ses propres yeux.

La seule solution qui s'offrait à elle, maintenant, était de feindre l'indifférence, de faire comme si, pour elle également, il ne s'était agi que d'un jeu.

Elle remit un peu d'ordre dans sa toilette, attrapa son sac et se dirigea d'un pas décidé vers la porte. Avant de sortir, elle lança :

— On ne peut pas dire que cette partie de la journée soit inoubliable ! Voyons donc la suite !

Il la suivit dans le couloir et, l'attrapant par le bras, la força à s'arrêter.

— Pardonnez-moi, Tracy, mais Kent Regan sera là dans quelques minutes.

— Et c'est maintenant que vous le dites ?

— Je... Je ne pouvais pas savoir ce qui allait se passer en venant vous chercher. C'est votre faute, après tout !

— Vous ne manquez pas de toupet ! Vous entrez dans une chambre où je m'habille, vous me faites la grande scène de séduction, et c'est ma faute !

Il sourit d'un air penaud.

— La prochaine fois, je vous promets que je choisirai mieux mes horaires...

Elle eut soudain envie de rire, tant la situation était absurde. Peut-être aussi était-elle soulagée de comprendre qu'il ne s'était pas agi d'un guet-apens. Malgré cela, elle répondit sèchement :

— Il n'y aura pas de prochaine fois.

Il se pencha et effleura ses lèvres.

— Ne dites pas cela, vous seriez furieuse de vous tromper.

Puis il l'entraîna dehors.

Le froid était vif et un vent glacial soufflait. Tracy

prit des épingles dans sa poche et fixa les mèches de ses cheveux qui voletaient autour de sa tête.

— Alors ? Quelles sont les autres surprises de la journée ?

— J'ai l'impression que vous m'en voulez encore...

Il prit sa main et glissa ses doigts entre les siens.

— La première se trouve ici, dans cette écurie.

Tracy s'appuya sur la demi-porte d'un box. Dans la pénombre, elle distingua, près d'une jument, un poulain. Ses jambes étaient encore vacillantes et semblaient démesurées par rapport au reste de son corps.

— Oh ! qu'il est beau ! Quel âge a-t-il ?

— Il est né le jour de votre arrivée à Brewster. Voulez-vous lui donner son nom ?

La jument et le poulain étaient rouans, avec leur robe caractéristique de la race Appaloosa.

Adossé contre la cloison, les bras croisés, Marc attendait que Tracy ait fini d'admirer le jeune animal.

Enfin, elle s'écria :

— Ça y est ; j'ai trouvé ! Il s'appellera Cobalt.

— Cobalt !

Il répéta le nom, incrédule.

— Pourquoi, pour l'amour du ciel ?

— Parce que le cobalt est la raison de ma présence en Idaho et que le bleu cobalt est la couleur de vos yeux. Ça ne vous plaît pas ?

— Non. Vous pourriez trouver autre chose.

— Cobalt vient de *Kobold*, un mot allemand qui désigne les esprits familiers gardant les métaux précieux enfouis dans la terre. On les appelle aussi des gobelins.

Il prit l'air pensif.

— Bon. Va pour Gobelin.

Son sourire fit revenir entre eux une sensation de chaude intimité. Ils se regardèrent un long moment sans rien dire, puis, lentement, comme mue par une force qui la dépassait, elle s'avança vers lui. Dès que leurs corps se touchèrent, la passion qui les habitait se réveilla. Leurs lèvres s'unirent dans un baiser plein de tendresse. Non, ce n'était pas un jeu, pas pour Tracy, en tout cas.

Ils étaient encore enlacés quand une voix d'homme appela :

— Marc, vous êtes là ?

La porte s'ouvrit.

— C'est vous, Kent ! Entrez ! Je vais vous présenter deux nouveaux venus au ranch.

Marc alluma la lumière dans l'écurie et Tracy vit s'avancer un homme blond, grand, vêtu à la mode western. Il semblait un peu plus âgé que Marc, à moins que ce ne soit la tristesse de son regard qui donnât cette impression. Mais il eut un charmant sourire en tendant la main à Tracy.

— Bonjour, mademoiselle. J'ai déjà beaucoup entendu parler de vous.

Il prit sa main entre les siennes. Son air franc et direct inspira d'emblée confiance à Tracy.

— Qui vous a parlé de moi ?

— Oh ! des tas de gens...

Son sourire s'élargit et illumina son regard. Il se tourna vers Marc sans pour autant donner de précisions.

Il était clair, pourtant, qu'elle avait été l'objet d'une conversation entre les deux hommes. Elle eut le sentiment d'être prise au piège. Décidément, sa mission à Brewster allait être encore plus difficile qu'elle ne l'imaginait ! Gênée par le silence qui s'était installé, elle se tourna vers le box.

— Venez faire la connaissance de Gobelin.

Appuyés tous les trois contre la porte de bois, ils observaient le poulain. Marc et Kent se lancèrent dans une discussion à propos de la jument.

— Vraiment, Marc, vous êtes verni ! Quand je pense que vous l'avez gagnée au poker ! Et en bluffant, qui plus est ! Ça ne m'étonne pas que plus personne ne veuille jouer avec vous.

— Certains ont de la chance, d'autres pas.

Il prit un air satisfait et posa la main sur le bras de Tracy.

Ah ! je vois, se dit-elle, il me considère comme sa propriété, moi aussi !

Elle recula d'un pas mais, bien que cette idée l'ait choquée, elle n'en ressentait pas moins un trouble étrange.

— Kent, vous voulez monter avec nous ?

— Volontiers, du moins si Tracy — permettez-moi de vous appeler par votre prénom — n'y voit pas d'inconvénient.

— Absolument pas !

Consciente du risque qu'elle courait à être seule avec Marc pendant un long moment, elle se félicitait de la présence d'un tiers. Aux yeux de tous, il apparaissait comme un homme décidé, sachant ce qu'il voulait et l'obtenant. Aujourd'hui, apparemment, c'est elle qu'il voulait. Mais pour combien de temps ?

Kent prépara son cheval rapidement. Marc aida Tracy à se mettre en selle et ajusta ses étriers. Tout en le regardant faire, elle se demanda s'il pensait à leurs baisers, à la passion qu'il avait éveillée en elle. Il leva la tête vers elle et demanda avec un sourire :

— Ça va ?

— Oui, je me sens bien.

— Parfait.

Marc attacha à la selle de son cheval une sacoche

qui contenait un marteau et des clous en U, puis il sauta avec élégance sur son cheval, un magnifique bai foncé.

— Kent, allez jusqu'à l'étang avec Tracy. J'ai une clôture à vérifier à Holy Rock. Je vous rejoins...

Ils prirent donc une direction opposée. Au bout de quelques minutes, Tracy rompit le silence.

— J'ai trouvé votre journal excellent, Kent. Je voulais même passer vous le dire à la rédaction.

— Merci. Le plus difficile, dans ce métier, est de ne pas sacrifier les nouvelles nationales et internationales les plus importantes, tout en laissant de la place aux événements locaux. Chaque club ou société, qu'il s'agisse de l'Union des jeunes agriculteurs ou de la Société féminine de Brewster, veut qu'on parle de lui et c'est tout à fait normal.

Ils devisèrent de choses et d'autres, puis Tracy ne put contenir plus longtemps sa curiosité :

— Que vous a dit Marc à mon propos ?

Kent sourit d'un air entendu et ne répondit pas tout de suite. Il se pencha et flatta l'encolure de sa monture. Ils suivaient à présent les bords sinueux d'une rivière bordée d'épais bouquets d'amboises et de saules. Au loin, ils apercevaient les collines mauves et bleutées, ponctuées de champs de neige qui scintillaient. Tracy était éblouie par la calme beauté de ce paysage resté aussi sauvage qu'au premier jour.

Enfin, Kent s'éclaircit la gorge et parla :

— Vous savez, Tracy, Marc est parfois difficile à comprendre. C'est un homme solitaire et secret. Il ne s'est jamais remarié après son divorce. Il aime les femmes, il a besoin de leur compagnie, mais, généralement, ça ne dure pas.

Il secoua la tête, l'air sombre.

— Marc est un homme intelligent et autoritaire

qui fait tout pour arriver aux fins qu'il s'est fixées. Que ce soit gagner au poker, séduire une femme, ou conclure une affaire.

Les chevaux s'arrêtèrent pour brouter le peu d'herbe encore verte qui restait au bord de la rivière.

Kent reprit :

— Très jeune, Marc a été envoyé au Viêt-nam. Il en a trop vu, je suppose. Trop de souffrances, trop d'agonies.

Kent se dressa sur ses étriers et inspecta l'horizon, puis il se rassit.

— Il a été blessé, puis rapatrié. A sa sortie d'hôpital, il est revenu ici. Depuis plusieurs années, son but, son obsession, presque, est de protéger notre région afin qu'elle demeure telle qu'elle était du temps de Tobias Brewster.

Il sourit à Tracy.

— Je ne vous envie pas d'avoir à convaincre Marc de vendre cette zone sauvage !

En un éclair, Tracy eut la vision de sa prochaine confrontation avec Marc. Elle comprenait mieux la partie de cache-cache qu'il n'avait cessé de jouer avec elle.

Au loin, Marc les appela et leur dit de traverser la rivière au prochain gué.

— Kent, vous n'avez pas répondu à ma question. Que vous a-t-il dit à mon sujet ?

— Marc ne dit généralement pas grand-chose sur les gens. Mais, l'autre matin, après vous avoir rencontrée à Mille Fleur House, il est passé au journal et m'a parlé de vous pendant une heure. Il m'a fait l'éloge de votre intelligence et de votre beauté. Puis il m'a dit que vous étiez très accrochée à votre carrière et que vous saviez ce que vous voulez. Vous lui avez fait une forte impression.

68

— Et qui est Elise ?

Les mots lui avaient échappé. Un sourire un peu triste se dessina sur les lèvres de Kent qui soupira.

— Elise Schell ? Personne ne comprend vraiment Elise...

Une fois de l'autre côté de la rivière, ils virent arriver Marc, au galop, sur son magnifique étalon.

— Venez, Kent. Nous allons montrer l'étang à Tracy. C'est là que nous allions nous baigner, enfants.

Kent sourit, au souvenir de ce bon vieux temps.

— Et patiner, l'hiver.

L'étang était bordé d'énormes peupliers. Ils regardèrent les perches arc-en-ciel nager rapidement dans l'eau limpide. Puis ils se mirent au trot et en firent le tour avant de retourner au ranch.

Il était environ une heure quand ils arrivèrent. Le pantalon de Tracy était mouillé et maculé de boue. Elle pensa que, le lendemain, elle allait sans doute avoir de douloureuses courbatures.

Après être allée se changer et retoucher son maquillage, elle rejoignit Kent et Marc au salon, où ce dernier était en train d'allumer le feu dans la monumentale cheminée de pierre. Confortablement installée dans un fauteuil de cuir, Tracy admira la vue sur les montagnes majestueuses, au loin. Kent était au bar et se servait un whisky dans un verre en cristal taillé. Il leva la carafe en regardant Tracy d'un air interrogateur.

— Non merci, Kent.

Elle allongea ses jambes vers le feu qui crépitait, répandant une délicieuse odeur de résine. Marc s'avança et posa ses mains sur les bras du fauteuil.

— Que prendrez-vous ? Un sherry ?

Le cœur de Tracy fit un bond dans sa poitrine. Il

était si près qu'elle fut prise d'une terrible envie de se jeter dans ses bras. Elle fit non de la tête.

— Vous avez faim ?

Il se pencha plus près, avec une expression de tendresse mêlée de désir. Tracy se força à prendre un air indifférent et posa sa tête sur le dossier.

— Oui. Mais je ne sais pas faire la cuisine. Et vous ?

— Moi non plus, mais Kent est un bon cuisinier. Allons prendre une leçon !

Ils se dirigèrent vers la vaste cuisine.

Après s'être restaurés, ils revinrent devant le feu pour prendre le café. Tracy demanda alors :

— Pourquoi les Schell veulent-ils vendre ?

Kent et Marc se regardèrent ; un message silencieux passa entre eux. Aucun d'eux ne répondit et ils piquèrent du nez dans leur tasse.

Enfin, Kent déclara :

— Elise est résolue à conserver Mille Fleur House, et l'argent lui manque.

— Si nous allions montrer à Tracy la mine et la ville fantôme de Patience ? suggéra alors Marc.

— Moi, je ne peux pas, j'ai du travail.

Devant l'embarras qu'avaient montré les deux hommes, Tracy se souvint de ce qu'avait dit Blanche Pomeroy : « Toute la ville se demande qui va épouser Elise : Kent Regan ou Marc Durand ? » Lequel aimait-elle ? Pourquoi leur réticence à son sujet ? Mais, déjà, Marc l'avait entraînée vers l'entrée de la maison.

— Qu'avez-vous donc de si urgent à faire, Kent ?

— J'ai l'honneur de devoir faire un reportage sur la truie d'Avery Coleman qui bat tous les records de poids et de voracité ! Croyez-moi, j'aimerais mieux vous accompagner !

Il prit la main de Tracy, se pencha et l'embrassa sur la joue.

— Passez me voir au journal. Il est près de la banque, de l'autre côté de la place. Je vous ferai visiter l'imprimerie. Deux pièces, en tout !

Il serra la main de Marc et sortit. Dès qu'ils furent seuls, Marc demanda avec un air malicieux :

— Alors, on fait le tour de la ville minière ou on reprend les choses là où elles en étaient ?

Cette fois, Tracy n'avait pas l'intention de céder.

— La ville minière, sans hésiter. Patience est près de la montagne ; ainsi je pourrai voir où se trouvent les gisements de cobalt.

Tandis qu'elle parlait, il s'était avancé et mettait ses mains sur ses épaules.

— Marc, arrêtez !

Elle essaya de reculer, mais il l'attira contre lui.

— Cette ville est là depuis cent ans, elle peut encore attendre.

Il l'entraîna dans le couloir. Si jamais ils entraient dans la chambre, elle était perdue. Un sentiment de panique s'empara d'elle. Elle se dégagea et entra précipitamment dans le salon.

— Tracy ?

Elle s'arrêta et se retourna. Marc se tenait sur le seuil, l'air perplexe.

— Marc, ce qui s'est passé avant l'arrivée de Kent...

Lentement, il avançait vers elle.

— Je...

Elle s'éclaircit la gorge.

— ... je pense que nous ferions mieux de mettre fin à ce petit jeu et d'en commencer un autre. Celui d'une femme, envoyée par la société Magnum Mining, chargée de présenter un projet d'achat de terrains. Et de convaincre son interlocuteur de les lui vendre.

Marc la dévisageait avec un mélange d'amusement et d'intérêt.

— Vraiment ? Allons-y, je vous écoute.

Tracy cherchait ses mots. Il était trop près, beaucoup trop près, beaucoup trop troublant...

— Comprenez-moi, Marc, commença-t-elle d'une voix tremblante.

— Pour quelqu'un dont c'est le jeu préféré, vous avez incontestablement du mal à me l'expliquer ! Remarquez, je suis patient, je peux vous laisser du temps. Vous avez raison, une petite promenade nous fera du bien !

6

Marc chargea les scooters des neiges à l'arrière de la camionnette. Après des kilomètres et des kilomètres de routes accidentées, ils arrivèrent au pied d'une montagne. Marc montra à Tracy comment se servir du traîneau, répartir son poids dans les virages et, surtout, comment s'arrêter.

Très vite, elle fut capable de manier le véhicule et ~ laissa griser par la vitesse. Au bout d'une heure de ~e le long d'un canyon escarpé, ils débouchè- ~ sur un vaste plateau. Une vue magnifique ~ndait à leurs pieds, en contrebas.

— C'est incroyable ! Je n'ai jamais rien vu de pareil !

— Ne me dites pas qu'en ayant vécu dans le Nebraska vous n'êtes jamais allée dans le Colorado voir les montagnes Rocheuses ?

— Non. Nous allions toujours rendre visite à ma grand-mère, à Saint-Louis. Ou alors nous allions à Chicago pour visiter les musées et écouter des concerts. J'ai vu des photos, bien sûr, mais ça n'a rien de comparable.

Le panorama de montagnes et de vallées, de torrents jaillissant de canyons profondément enfoncés s'étendait tout autour de la plate-forme.

Marc la prit par les épaules.

— Je suis heureux de vous montrer cela. Maintenant, vous ne serez jamais plus la même.

Sans brusquerie, il la fit pivoter et la regarda dans les yeux.

— Bienvenue dans nos montagnes.

Tendrement, il posa ses lèvres sur les siennes, les effleurant à peine. Puis il s'écarta avec un sourire.

— Je ne sais ce qui m'arrive, Tracy. Si vous saviez...

Il prit une large inspiration.

— Venez. Nous avons encore du chemin jusqu'à Patience.

Après être redescendus, ils montèrent dans la camionnette. Marc ralentit avant de s'engager prudemment dans un autre canyon. En contrebas, coincée entre deux parois rocheuses, s'élevait une ville, apparemment déserte. Tout était à l'abandon. Marc lui montra du doigt les bureaux de la mine et l'hôtel à deux étages, trop dangereux pour qu'on puisse y pénétrer. Sous la neige, la ville paraissait comme endormie, dans l'attente du retour de ses habitants.

A la lisière s'étendait un cimetière entouré d'une clôture métallique. Depuis la route, Tracy lut, au passage, une inscription gravée sur une pierre : « FRANKLIN FAIRMAN RICHMOND. DÉCÉDÉ A 22 ANS. REQUIESCAT IN PACE. »

— C'était une affaire de jeunes que de travailler à la mine. On n'y faisait pas de vieux os.

Ils descendirent de voiture et Marc montra à Tracy l'entrée de la mine de Patience, maintenant obstruée par les gravats et les broussailles.

— Ils ont extrait l'équivalent de quatorze millions et demi de dollars de la mine. C'est ici que Brewster a gagné l'argent qui lui a permis de construire Mille Fleur House, ainsi que la ville dont il était presque l'unique propriétaire. Il a fait venir de San Francisco des ouvriers chinois qu'il payait le tiers de la main-d'œuvre blanche.

La colère perçait dans sa voix.

— Tobias Brewster et ses associés se sont comportés comme des voleurs ; ils se sont appropriés les terres, puis ont tout abandonné quand elles ne rapportaient plus. C'est alors que Brewster a édifié cette ville dont il était le maître.

Pourquoi Marc ne mentionnait-il pas le nom de son propre ancêtre, associé lui aussi à cette exploitation ? Trois grandes familles s'étaient enrichies dans la mine. Peut-être en avait-il honte ?

— Kent m'a dit que vous essayiez de garder intacte la ville, comme au temps de M. Brewster. Et pourtant, vous semblez la haïr...

— J'aime cette ville. J'aime ce pays. Je veux les préserver des mirages de la civilisation. Je ne veux pas que Brewster devienne un lieu de passage pour les mineurs ou une station touristique avec des restaurants tous les dix mètres et des gens qui jettent leurs détritus par les fenêtres des autobus.

La violence de son ton impressionna Tracy. Que penserait-il des gigantesques pelleteuses charriant le minerai de la montagne ? Kent avait raison ; elle aurait fort à faire !

— Venez, je veux vous montrer autre chose.

Ils retournèrent à la voiture et s'engagèrent sur une route à peine carrossable, en forte montée. Au bout, il y avait un précipice et, de l'autre côté du précipice, une montagne d'une hauteur vertigineuse.

— Ici se trouve la plus riche réserve de cobalt. Mais, pour l'atteindre, il faudrait creuser cette montagne. Avez-vous une idée de la destruction que cela entraînerait ? Même le système hydrographique serait totalement bouleversé.

Impressionnée par la splendide beauté du sommet, Tracy recula, comme écrasée par le sentiment de sa propre petitesse. Elle tourna le dos à la montagne, et eut la vision des ravages irréversibles qu'occasionnerait la mise en exploitation de la mine. Elle imagina le paysage saccagé par les routes et les engins montant à l'assaut de la montagne. Elle vit dans un éclair les flancs déboisés, laissant place à une énorme cicatrice ; les dégâts irréparables, des pans entiers de la montagne explosant sous la dynamite. Ses yeux se remplirent de larmes et, du plus profond d'elle-même, un mot jaillit :

— Non !

Sans même s'en être aperçu, elle se retrouva blottie dans les bras de Marc, qui répétait son nom. Enfin, Tracy leva la tête et ils se regardèrent.

— Tracy, vous pouvez comprendre maintenant pourquoi...

Elle s'efforça de retrouver son calme.

— Marc, vous m'avez fait voir ce que vous vouliez et, croyez-moi, je l'ai bien vu. Pourtant, il y a quelque chose que je ne comprends pas : pourquoi avoir fait venir un représentant de la société Magnum Mining ?

— Il y a un mois, j'ai joué au poker avec Elise à Mille Fleur House, et nous avons parié que, si elle gagnait, j'écouterais au moins les discours du représentant de la Magnum Mining. J'ai perdu.

Tracy était frappée de stupeur. Ses pires craintes se réalisaient. Il n'avait jamais eu l'intention de réfléchir sérieusement à sa proposition. Et, en plus, il n'avait cessé de jouer avec ses sentiments.

Soudain, la colère monta en elle. Pour sa propre dignité, elle devait tenter de le convaincre. S'il gagnait, cette fois, ce ne serait qu'après un dur combat. Et peut-être...

— Marc Durand, vous n'avez pas honoré votre pari !

La surprise se peignit sur son visage.

— Vous n'avez pas écouté mes arguments !

Tracy était hors d'haleine. Soudain, elle eut froid.

— Je veux rentrer à Mille Fleur House tout de suite. Dès ce soir, je vous ferai part des propositions de la société.

Marc fit un pas vers elle, puis se ravisa.

— D'accord. De toute façon, c'est mieux comme ça.

Qu'avait-il voulu dire ? Elle s'engouffra dans la camionnette, complètement frigorifiée. Elle serra contre elle les pans de sa veste et croisa les bras. Il lui fallait prendre du recul, élaborer une nouvelle stratégie.

— Tracy, voulez-vous essayer une nouvelle fois mon traitement contre le froid ?

— Non merci. J'attendrai qu'il ait été agréé par l'Académie de médecine.

Il faisait noir quand ils arrivèrent devant la porte du ranch. Marc déclara qu'il allait ranger les traîneaux, puis il ajouta :

— Je vous ai déjà montré la meilleure façon de se réchauffer. Il en est une autre, qui est de prendre une douche chaude. Vous trouverez un vêtement et des pantoufles dans l'armoire. Ensuite, nous dînerons.

Pourvu que la chambre et la salle de bains ferment à clef ! Oui, les clefs étaient dans les serrures. Elle s'enferma soigneusement pour éviter toute intrusion.

Après une douche brûlante, ses joues étaient encore irritées par le froid et ses yeux la brûlaient. Elle n'avait qu'une envie : s'étendre sur le lit et dormir. Mais ce n'était pas possible et, d'ailleurs, elle mourait de faim. Elle trouva une ravissante robe en soie verte, hésita, et faillit remettre son jean. Mais l'idée de l'étoffe humide contre sa peau propre la fit frissonner et elle enfila la robe. À qui appartenait-elle ? A Elise ? A une autre conquête de Marc ?

Dès la sortie de sa chambre, elle sentit de délicieuses odeurs. Elle se précipita à la cuisine et trouva un homme en train de tourner une salade en chantonnant. Avec sa peau toute ridée, on ne pouvait pas lui donner d'âge.

— Marc est au salon. Je suis Harry Halliman. J'espère que vous avez faim.

— Bonjour, Harry. Je suis Tracy Cole. Je suis affamée, en effet.

— Ce sera prêt dans cinq minutes.

— En tout cas, ça sent merveilleusement bon.

Au salon, Marc ranimait le feu.

— Cette robe vous va divinement bien !

Rasé de près, il portait une chemise de sport et un costume de laine impeccablement coupé, qui mettait en valeur ses larges épaules et sa taille mince. Chaque fois que Tracy se retrouvait en présence de cet homme, elle ne pouvait s'empêcher d'admirer son allure et son élégance. Mais il n'y avait pas que cela. Pourtant l'aimer serait pure folie et n'amènerait que souffrance et amertume. Il ne pouvait en être question une seule seconde. Elle le désirait, oui. Et rien de plus.

Pour rompre le charme, elle se dirigea vers la

table basse, sur laquelle il y avait deux verres déjà remplis, et en prit un.

— Voilà une troisième méthode pour se réchauffer.

Il sourit et ce sourire complice fit chavirer le cœur de Tracy.

— Bientôt, je serai à court de procédés.

— Ça m'étonnerait !

Elle lui rendit son sourire, puis elle s'assit dans un fauteuil. Le décor de la pièce, meubles, tableaux, lampes, rideaux, indiquait la présence d'une femme de goût.

Harry annonça que le dîner était prêt. Tracy laissa son verre à demi plein ; la fatigue, un estomac vide et le whisky pouvaient se révéler dangereux, sans compter Marc Durand...

Elle s'asseyait face à Marc quand le téléphone sonna. Harry répondit dans la cuisine, puis passa la tête dans l'entrebâillement de la porte.

— Un certain Jonathan Allen désire vous parler. Il vous a déjà appelée, j'ai oublié de vous le dire, déclara-t-il en s'adressant à Tracy.

Tracy regarda la pièce de bœuf, les pommes de terre sautées, les petits pains chauds et la salade de laitue aux croûtons.

— Dites-lui que je rappellerai plus tard, répondit-elle.

Marc éclata de rire.

— Ou c'est le directeur de la Magnum Mining, ou un ami très proche. Je me réjouis de voir que vous avez vos priorités ; d'abord la nourriture, puis le reste. Un bon point pour vous !

Il versa du vin dans son verre.

— Jonathan Allen est mon patron. Il m'appelle pour me demander où en est l'affaire.

Elle but une gorgée et ajouta :

— J'aimerais pouvoir le rappeler ce soir et lui dire que j'ai présenté nos propositions à M. Marc Durand et qu'il est en train de les étudier sérieusement.

Marc se rembrunit.

— Plus tard. Après le dîner, je vous le promets.

Tracy n'insista pas. D'ailleurs, elle se régalait et n'avait pas envie de gâcher le dîner.

— Parlez-moi un peu de vous, Marc. Vous avez des frères et des sœurs ?

— Non, je suis fils unique. Mon père est mort il y a trois ans. Gabrielle, ma mère, passe les hivers à Palm Springs, au soleil, et à San Francisco ou New York pour aller au spectacle. Quand elle apprendra que nous avons eu une ravissante New-Yorkaise de passage, elle regrettera son absence. Vous auriez discuté avec elle des dernières pièces de théâtre.

Après une pause, il dit d'un air rêveur :

— Elle vous apprécierait beaucoup.

Tracy détourna les yeux, gênée soudain par sa douceur.

— Je regrette de ne pas l'avoir rencontrée.

Si elle l'avait vue, elle aurait sans doute mieux compris la personnalité de Marc.

Le repas terminé, Harry entra pour débarrasser.

— Il tombe une neige de tous les diables. Un temps curieux, qui me rappelle l'hiver de 1948. Il avait commencé en octobre aussi.

Il emporta les assiettes, puis revint et proposa :

— Vous prendrez le dessert et le café maintenant ou plus tard ?

— Tout à l'heure, je pense.

Tracy acquiesça.

— Bon, je m'en vais, alors. Tout est prêt dans la cuisine.

— C'était délicieux, Harry. Merci.

Marc prit le bras de Tracy et ils retournèrent au salon, éclairé par une seule lampe et par la lueur incandescente des braises. Pendant que Marc disposait une nouvelle bûche, Tracy s'avança vers la fenêtre. La neige continuait à tomber et, soudain, Tracy fut prise de la crainte de ne pouvoir rentrer ce soir à l'hôtel si la route devenait impraticable.

— Il n'est que huit heures, Marc. Ramenez-moi à Mille Fleur House et je vous montrerai les papiers.

— Si vous voulez.

Sa voix était toute proche, car il s'était avancé derrière elle sans qu'elle l'entende. Il toucha légèrement ses cheveux et elle se retourna.

— Vous pourriez aussi m'exposer les grandes lignes ici, et nous n'aurions pas à sortir dans la neige et le froid.

— Certes, mais m'écouterez-vous ?

Marc se mit à rire et lui caressa la joue.

— Je paie toujours mes dettes de jeu. Ce soir, j'écouterai et, demain, je lirai soigneusement, d'un bout à l'autre, le projet de contrat. Pour vous prouver ma bonne foi, je propose qu'Elise et Tom se joignent à nous. Demain...

— Alors, entamons tout de suite la présentation verbale.

Il ne bougea pas d'un centimètre et continua tranquillement à la regarder, puis il leva la main et promena un doigt sur ses lèvres. Résolue à ne pas perdre pied, Tracy s'écarta d'un bond et se dirigea vers un fauteuil.

Mais Marc, plus rapide, lui attrapa le bras et l'entraîna sur le canapé de daim.

— Je veux bien vous écouter, mais il est inutile que vous vous installiez à l'autre bout de la pièce. Allez-y.

Enfin ! Tracy était en présence d'un homme attentif ! Le seul problème était qu'elle ne savait plus très bien quoi dire. Comment le convaincre de vendre sa belle montagne, alors qu'elle-même n'était plus persuadée de cette nécessité ? Pourtant, elle était là pour ça. La société lui versait un bon salaire pour qu'elle amène les gens à vendre leurs terres. Tracy se sentit bien peu sûre d'elle, tout à coup.

— Marc, laissez-moi vous dire d'abord que je ne parle pas en tant que Tracy Cole, mais en tant que directeur adjoint du service des achats de la Magnum Mining.

Les choses étaient claires : Tracy Cole, femme, ne souhaitait pas la venue de la Magnum Mining à Brewster. Et Tracy Cole, représentante de la compagnie, allait faire son travail. Cette discussion s'annonçait comme une des plus pénibles de son existence.

Marc ne fit aucun commentaire. Aussitôt, elle entra dans le vif du sujet.

— Quelle est la population de Brewster ?

La surprise se peignit sur le visage de Marc.

— Il y a environ trois mille habitants, sans compter le bétail. Maintenant, si nous incluons le bétail...

— Et à combien se montait la population il y a dix ans ?

— A peu près pareil.

Il était redevenu sérieux.

— Ou un peu plus ?

Marc haussa les épaules.

— Et il y a vingt ans ? Trente ans ?

Cette fois, il comprit où elle voulait en venir.

— La population est restée la même ou a un peu décru. En démographie, on appelle cela la croissance zéro. J'appelle ça la stagnation. A terme, Brewster pourrait devenir une autre Patience.

82

Tracy planta son regard dans celui de Marc. En bougeant, la fente de sa robe révéla son genou.

— J'aime vos travaux d'approche, Tracy.

Elle rabattit le pan de la robe tandis que Marc regardait à nouveau son visage. Mais une étincelle de malice s'était glissée dans ses yeux. Elle poursuivit avec conviction :

— Les jeunes de Brewster et de la vallée ne restent pas ici. Ils s'en vont là où ils peuvent trouver du travail. A moins d'hériter d'un ranch ou d'une affaire, ils sont contraints d'émigrer.

Le département de recherches avait fait du bon travail ; elle reprenait confiance.

Ces jeunes qui partaient à la recherche d'un emploi avaient un handicap supplémentaire. Le niveau des écoles à Brewster était légèrement inférieur à la moyenne nationale. Les établissements auraient eu besoin de plus de professeurs, de meilleures installations pédagogiques. Elle évoqua les routes étroites, mal entretenues, les ponts et les chemins endommagés chaque année par le froid, les services sociaux presque inexistants.

Sans doute le savait-il, mais il était bon de le lui rappeler.

— Sur le plan médical, c'est catastrophique. Tenez, pensez au vieux Dr Stevenson qui désire se retirer et ne trouve personne pour reprendre son cabinet ! Les malades qui doivent subir de graves opérations sont obligés de prendre l'avion pour Pocatello ou Boise, avec toutes les conséquences que cela peut avoir.

— A ce que je vois, il n'y a pas que les géologues qui viennent faire des recherches dans notre région. Vos sociologues ont fait leur enquête !

Son ton était caustique. Il se leva et alla chercher

deux verres de cognac. Il en tendit un à Tracy et se rassit, plus près d'elle, cette fois.

— Et la Magnum Mining va miraculeusement régler tous nos problèmes ?

Tracy réfléchit un instant en faisant tourner dans son verre le liquide ambré. Ses arguments avaient-ils porté ? Ou l'écoutait-il seulement avec politesse, pour honorer son pari ?

— Non, pas de miracles, mais une clinique moderne, bien équipée, des écoles rénovées, du travail pour les jeunes, de l'argent...

— Ah, oui ! L'argent ! Cette panacée qui guérit toutes les blessures, règle tous les problèmes, fait disparaître toutes les misères ! Mais parlons plutôt des effets secondaires qui accompagnent l'afflux d'argent dans une région ; parlons...

Marc avala son cognac, puis se tourna vers Tracy et soupira :

— Oh ! et puis non ! N'en parlons pas.

Son expression malheureuse, ses yeux sombres et sérieux, frappèrent Tracy.

Soudain, l'atmosphère changea et elle sentit qu'il ne l'écouterait plus. Marc lui prit son verre des mains et le posa sur la table. Elle savait ce qui allait se passer et, déjà, elle renonçait à se défendre. Elle se sentait incapable de penser. Demain... Demain, quand Marc viendrait lire le contrat, quand elle aurait devant elle ses informations, elle saurait le convaincre. Mais, ce soir, elle ne pouvait pas.

Ce qui arrivait était-il donc inévitable ? Avait-elle le choix ? Voulait-elle l'avoir ?

Il l'enlaça et, dans un dernier sursaut, elle essaya de se dégager. Mais dès qu'il eut commencé à l'embrasser, il fut trop tard. D'abord, ce fut un baiser plein de tendresse, comme s'ils faisaient la paix, puis Marc se rapprocha encore. Sa main effleura sa joue et s'enfonça dans l'épaisseur soyeuse de sa chevelure. Son baiser se fit plus ardent, plus exigeant. Il y mettait tout son désir d'elle, sa passion et, peut-être, son amour...

Dès les premiers instants de leur rencontre, Marc avait voulu la séduire et la faire sienne. Mais pouvait-il être tombé amoureux d'elle ?

Elle glissa sa main sur sa nuque et mit son bras autour de sa taille. Marc leva la tête et la regarda d'un air interrogateur. La situation était claire. C'était à elle de décider, à elle de choisir, et il respecterait sa décision. Ce moment, elle l'avait, depuis le début, secrètement espéré. Peut-être n'y aurait-il pas de suite ? Mais qu'importe ! Toute sa vie, elle aurait le souvenir de cette journée, de cette nuit... Oui, elle voulait se donner à lui, de toute la force de son âme. Elle se leva et prit sa main, troublée par sa propre audace. Ils n'échangèrent pas un mot. Marc l'entraînait vers une chambre, la sienne, supposa-t-elle. Quand ils furent arrivés sur le seuil, il la souleva dans ses bras et, avec son coude, il appuya sur le commutateur. Une lumière tamisée baigna la pièce.

Marc s'empara de ses lèvres. Elle glissa contre lui et se tint sur la pointe des pieds pour garder ses lèvres contre les siennes.

Puis il se mit à défaire les boutons de la robe, un à un, l'ouvrit et regarda la poitrine de Tracy avec ravissement. Ses seins se dressaient, tendus vers les caresses. La robe glissa le long de son corps dans un doux froissement et se répandit à terre. Marc la ramassa et la posa sur une chaise. Sans doute perçut-il un mouvement de recul chez Tracy, car il lui murmura :

— Au cas où vous vous poseriez des questions, je

dois vous dire que cette robe est un cadeau d'anniversaire pour ma mère.

Tracy le regarda et sourit.

— Marc, je suis adulte, vous savez. Je sais ce que je fais.

Son ton assuré masquait une certaine appréhension. Avait-elle raison d'agir ainsi ? N'était-elle pas en train de se préparer de longs jours de chagrin et de malheur ? Mais le désir fut le plus fort. Avec une lenteur calculée, elle entreprit de déboutonner sa chemise. Marc baissa les bras le long de son corps et sourit.

— Ce qui est bon pour l'un est bon pour l'autre, Tracy. C'est cela que vous êtes en train de me dire avec vos gestes tellement adorables.

— Oh ! Marc ! Je ne suis pas si...

— Non, ne dites rien, chuchota Marc avec tendresse.

De son index, il releva la tête de Tracy. Dans son regard, toute trace de moquerie avait disparu.

— Laissez-moi vous apprendre, Tracy. Laissez-moi vous emmener dans un merveilleux voyage.

Tracy retint son souffle. Elle ne pouvait plus reculer, maintenant, même si elle l'avait voulu. Mais son cœur, battant à grands coups, lui disait qu'elle ne le voulait pas. Oui, elle ferait le voyage avec Marc.

Elle lui enleva sa chemise, puis posa la main sur la boucle de sa ceinture de cuir. Il ne bougeait pas et ne fit pas un geste pour l'aider. Enfin la ceinture fut défaite. Prenant une large inspiration, elle déboutonna le haut du pantalon et s'arrêta.

Marc se mit à rire et acheva de se dévêtir. Quand il apparut nu devant elle, Tracy, sans la moindre gêne, posa la main sur son torse.

— Vous êtes beau.

— Vous êtes belle, Tracy. Et infiniment désirable...

Tracy se jeta dans ses bras. Alors, Marc la souleva et la porta sur le lit. Avant de s'allonger près d'elle, il baissa la lampe et la chambre devint plus intime, plus chaude. Enfin, sa bouche fut contre la sienne et Tracy sentit son corps vibrer comme si, par ce baiser, il venait de lui donner la vie.

Un feu brûlant courait dans ses veines ; elle se cambra contre lui, et l'attira sur elle. Il prononça son nom d'une voix rauque et elle sut qu'il la désirait autant qu'elle le désirait. Une sorte de frénésie s'était emparée d'elle tandis qu'il la couvrait de baisers et de caresses. Il revint vers sa bouche, puis descendit lentement jusqu'à son ventre. Dans un gémissement, elle se cambra, s'offrit à lui en toute innocence. Soudain, il s'écarta pour contempler ce corps adorable, frémissant d'abandon et d'ardeur lascive. A son regard, elle comprit qu'il ne la voulait pas passive et, avec une audace puisée au plus profond d'elle-même, elle osa, à son tour, découvrir le corps de Marc, étonnée et éblouie d'en éprouver du plaisir. Le plaisir, l'amour, la passion guidaient ses gestes timides et provocants, langoureux et voluptueux. De leurs lèvres, de leurs mains, ils exploraient de nouveaux rivages, abordaient des terres inconnues dont ils repoussaient sans cesse les limites. Dans cette danse sensuelle où chacun prenait et donnait, recevait et donnait, se célébraient les rites magiques et mystérieux de l'amour. Puis, enfin, ils se donnèrent l'un à l'autre avec un même élan, une même frénésie, en parfaite harmonie. Guidée par un instinct immémorial, Tracy s'abandonna aux délices de cette douce folie et, quand l'extase les saisit, elle cria son nom, éblouie, comblée, émerveillée.

Brisée par l'intensité du bonheur qu'elle venait d'éprouver, elle ouvrit les yeux et vit Marc qui la contemplait. De petites gouttes de sueur perlaient sur ses tempes. Il la serra contre lui et, ensemble, leurs cœurs reprirent un rythme normal.

— Marc... murmura-t-elle simplement.

La communion entre eux avait eté totale, absolue. Il poussa un soupir heureux, apaisé.

— Marc, vous savez que ce qui vient de se passer n'a rien à voir avec ma mission. Vous le savez, n'est-ce pas ?

Sa réponse, brusquement, lui parut très importante.

— Marc, répondez-moi.

Un sourire éclaira son visage. Il se pencha et la baisa légèrement sur la bouche.

— Bien sûr que je le sais, madame la directrice et néanmoins merveilleuse Tracy.

Elle blottit sa tête contre son épaule, rassurée.

— Demain, il va falloir que vous m'écoutiez, Marc.

— Oui. D'accord.

Il se pencha et posa sa bouche sur son sein.

— Marc !

Sa première réaction fut de le repousser mais, à nouveau, elle sentit le désir se lever en elle. Une fois encore, Marc l'entraînait dans ce monde d'ivresse partagée. Elle croyait ne plus pouvoir faire un mouvement, mais il suffisait qu'il la touche pour qu'elle veuille recommencer le voyage. Et le voyage recommença... Son corps ne lui appartenait plus, il était à cet homme qui lui avait révélé le plaisir et qu'elle ne pourrait jamais oublier.

Au moment où ils allaient s'unir, elle le guida en elle avec un cri de joie. Ensemble, ils furent emportés dans une jouissance aiguë qui se prolongea en vibrants échos.

Ils restèrent longtemps immobiles, attentifs aux messages que, au-delà des mots, se transmettaient leurs corps.

Enfin, ils se séparèrent et Marc tira sur eux les draps et les couvertures.

Puis il caressa son visage et le tourna vers lui. Ses yeux étaient remplis de larmes.

— Vous pleurez ?

Soudain elle avait peur. Qu'il ne l'aime pas, qu'il ne fasse que se jouer d'elle. Mais il prit sa tête entre ses mains et, à l'expression de son visage, elle vit qu'il ne se moquait pas. Il rayonnait. Elle sourit et dit d'une petite voix :

— C'est de bonheur.

Puis elle tomba dans un sommeil bienheureux.

7

La sonnerie du réveil retentit. Tracy, tout ensom-
meillée, regarda la place vide à côté d'elle, puis
s'étira. Il était six heures et demie et elle avait
encore besoin de dormir, mais, soudain, ce fut le
téléphone qui se mit à sonner. D'un geste machinal,
elle décrocha :

— Allô !

— Qui est à l'appareil ? lui demanda-t-on à l'autre bout du fil.

Immédiatement, Tracy reconnut la voix de
Jonathan Allen.

— Jonathan ? Ici, Tracy.

C'était bien la dernière personne au monde à qui
elle aurait voulu parler.

— Bon sang ! Mais que devenez-vous ? Je vous ai
appelée hier toute la journée, je finis par vous
trouver, vous me faites dire que vous rappellerez et
j'attends toujours !

— Ne vous fâchez pas, Jonathan. Je n'ai pas pu le
faire, tout simplement.

Bien sûr, à New York, il était huit heures et demie

et, quand Jonathan Allen travaillait, tout le monde devait être disponible ! Mais qu'allait-il penser en la trouvant, à une pareille heure, chez Marc Durand ? Pendant toute la conversation, qui dura près de quarante minutes, Tracy s'efforça de ne pas se trahir. Chacune de ses réponses était vague, évasive. Elle ne pouvait avouer à son patron qu'à aucun moment Marc n'avait laissé entendre qu'il voulait vendre. Un échec à Brewster serait sans doute la fin de sa carrière.

A bout d'invention, elle mit fin à la communication.

— Jonathan, il faut que je vous quitte. Il y a une terrible tempête de neige depuis hier soir, raison pour laquelle je me trouve chez M. Durand, et d'autres personnes ont besoin du téléphone.

L'excuse n'était pas si mauvaise ; au moins, il ne se poserait pas de questions et penserait que la maison était pleine de gens bloqués par la neige.

— Je vous appellerai dès que j'aurai du nouveau, conclut-elle avant de raccrocher.

Pour le coup, elle était bien réveillée, maintenant ! Elle sauta du lit et risqua un coup d'œil dans le couloir. La maison semblait vide. Où pouvait bien être Marc ? Déjà au travail, sans doute ; dans un ranch, on commence de bonne heure. Elle fila dans la salle de bains et se doucha d'abord à l'eau bien chaude, puis à l'eau presque froide, pour se tonifier. Comme elle l'avait prévu, elle sentait des courbatures dans tout son corps, mais elle avait aussi le souvenir de cette nuit d'amour si intense. Son visage s'empourpra à cette évocation. Rapidement, elle s'habilla, enfila sa veste et sortit. A la cuisine, au salon, dans la salle à manger : personne. Après avoir avalé un café, elle se retrouva dehors. La neige recouvrait tout. Le ciel, maintenant dégagé, était d'un bleu profond et pur.

Sa première idée fut d'entrer dans l'écurie. Elle appela Marc, mais une autre voix lui répondit :

— Mademoiselle Cole ?

Un homme sortit d'une stalle en s'essuyant les mains. Elle reconnut Fred, le palefrenier qu'elle avait vu la veille.

— Marc est parti tôt pour porter le foin au bétail. Avec cette tempête nous avons beaucoup à faire. Je suis chargé de vous proposer quelque chose à manger, puis de vous conduire en ville.

Au fond, se dit Tracy, ce n'est pas plus mal qu'il soit absent. Les souvenirs de cette nuit auraient le temps de s'estomper. Elle ne doutait pas une seconde qu'il viendrait dans la journée à son hôtel pour étudier les documents de la compagnie.

— Merci. Je déjeunerai à Mille Fleur House. Mais avant de partir, je voudrais voir le poulain.

Fred alluma la lumière du box. Gobelin tétait avidement sa mère.

— Pouvez-vous m'emmener, maintenant ? Je suis prête.

— Bien sûr, mademoiselle ; j'avance la camionnette.

Pendant le trajet, ils discutèrent de la tempête ; Tracy se demandait si sa voiture de location n'allait pas être endommagée.

— Non. Sûrement pas ; mais si vous avez un problème, appelez le garage de Sam de la part de Marc Durand, ils arrangeront ça.

— Merci, Fred. A propos, quand vous verrez Marc, pouvez-vous lui demander de me joindre le plus rapidement possible ?

Une fois dans sa chambre, Tracy enfila des vêtements propres. Elle pensa que, depuis son arrivée, elle avait changé de tenue un nombre incalculable de fois. Et ce n'est pas tout, se dit-elle : j'ai dévoré et... je suis tombée amoureuse !

Elle avait tout à la fois envie de rire et de pleurer. Elle s'avouait enfin qu'elle aimait Marc. Mais qu'allait-il advenir de cet amour ?

Elle s'assit sur une chaise devant la coiffeuse, en proie à une profonde tristesse. L'amour ! Quelle folie ! Oui, c'était une folie que d'être tombée amoureuse précisément de Marc Durand, un homme aussi rude, sauvage et secret que ce paysage de montagnes où il vivait. Un homme ardent, imprévisible et, surtout, un interlocuteur intraitable, bien décidé à mener le jeu à son propre avantage...

Elle se regarda dans la glace. Oui, c'était bien elle, Tracy Cole, directrice adjointe de la Magnum Mining, en pleine ascension professionnelle, dont le cœur avait flanché, comme celui d'une adolescente...

Elle entreprit de se brosser les cheveux. Un halo cuivré se répandit autour de son visage. Comment résoudre ce dilemme ? Elle aimait Marc Durand. Elle devait lui présenter une offre dont il ne voulait pas et n'était pas elle-même convaincue du bien-fondé de l'ouverture d'une mine dans la région. Comment faire pour concilier l'inconciliable ?

Et Marc ? Quelle était vraiment sa position ? Il ne voulait certainement pas vendre, mais Elise, elle, le souhaitait. Allait-il épouser Elise Schell ?

Sur ce point, se dit Tracy, je ne sais absolument rien de positif. Toutes mes suppositions viennent des racontars de Blanche Pomeroy. Marc lui-même n'a jamais laissé entendre qu'il s'intéressait à Elise !

D'ailleurs, quand elle les avait vus ensemble, ils n'avaient pas l'air d'être sur le point de se marier. Pourtant, un doute subsistait dans son esprit.

Elle secoua la tête et décida qu'elle ferait mieux d'aller déjeuner plutôt que de retourner dans sa tête des questions sans réponse.

En sortant de la salle à manger, elle aperçut Elise Schell dans le couloir.

— Bonjour, mademoiselle Cole ! Justement, j'allais vous demander si vous pouviez venir maintenant voir mon grand-père.

Tracy se dit qu'elle aurait dû la détester, mais, en fait, elle ressentait spontanément une certaine sympathie pour Elise. Cette dernière la précéda dans l'escalier et Tracy pensa qu'elle devait se montrer prudente. Peut-être Elise et elle-même n'étaient-elles que des pions dans le jeu de Marc ?

— J'ai été navrée d'apprendre que M. Schell était malade. Comment va-t-il ?

Elise se retourna pour répondre. Elle était ravissante, mais semblait éreintée.

— Assez bien. Il est toujours mieux après son traitement.

Elles pénétrèrent dans une pièce surchauffée, inondée de soleil. Un vieillard était allongé dans une chaise longue, près d'une grande baie vitrée. Un sourire de bienvenue éclairait son visage.

— Ah ! je vous rencontre enfin, mademoiselle Cole ! J'ai déjà beaucoup entendu parler de vous... et de votre beauté !

— Comment allez-vous, monsieur ?

Il prit la main de Tracy et la retint un moment.

— Bien, mademoiselle. Vous êtes encore plus jolie qu'on ne le dit. Venez donc vous asseoir près de moi.

Elise apporta un fauteuil.

— Je vais faire un café pour nous. En prendrez-vous ? A moins que vous ne préfériez un thé ?

— Non, je vous remercie. Je viens juste de prendre mon déjeuner.

Tracy jeta un coup d'œil autour de la pièce. Elle était remplie d'objets anciens d'une grande beauté, disposés avec un goût parfait. Elise avait le sens des jolies choses.

Tracy se détendit, prenant plaisir à la conversation du courtois Thomas Schell. Ordinairement réservée, elle répondit avec plaisir aux questions de cet homme qui semblait montrer un intérêt si sincère à son égard. Elise ne se mêla que peu à leur bavardage.

Enfin, ils abordèrent le sujet principal : la vente des terrains. Les mains de Thomas Schell tremblaient légèrement quand il déposa sa tasse sur le plateau.

— Mademoiselle Cole, je désire vous faire connaître ma position. Je suis catégoriquement opposé à cette idée.

Surprise par la fermeté du ton, Tracy se tourna vers Elise. Elle fixait alternativement le vieil homme et la jeune femme.

— Monsieur, si j'ai bien compris, Elise Schell et Marc Durand sont les deux propriétaires légaux. Je ne me trompe pas ?

Thomas Schell soupira.

— Non. C'est exact. Mais je ne soupçonnais pas qu'Elise puisse avoir envie de vendre.

Il laissa aller sa tête contre le dossier et sembla soudain infiniment las.

— Mais elle fera ce qu'elle pense être son devoir. Excusez-moi, mademoiselle, je vais vous laisser, maintenant. Il faut que je me repose.

Il se leva avec l'aide d'Elise et lui tendit la main.

— J'espère vous revoir avant mon départ, monsieur Schell. J'ai été ravie de faire votre connaissance.

Elise conduisit son grand-père, puis revint dans la pièce. Elle ouvrit toute grande la fenêtre pour y laisser pénétrer l'air froid du dehors.

— Grand-père a besoin de chaleur. Il fait au moins vingt-cinq degrés.

Elle s'assit.

— J'espère qu'il ne vous a pas embarrassée, avec toutes ces questions.

— Mais pas du tout. Je souhaite seulement que cette visite ne l'ait pas trop fatigué.

— Il ira mieux après une sieste. Vous devez penser que je suis bien mauvaise fille de vouloir vendre ces terres malgré son avis.

— Je ne me permettrais pas d'en juger. Mon rôle se borne à essayer d'en obtenir la vente pour le compte de ma société.

— Je vais tout de même vous expliquer ma position. Je vous demande de ne pas en faire état.

Tracy acquiesça.

— L'entretien de Mille Fleur House est extrêmement onéreux et les banques me refusent de nouveaux prêts. Mais mon grand-père ignore notre situation financière.

Elle soupira, l'air soucieux.

— Ma belle-mère vit ici, avec nous. Quant à Mme Quartermain, elle tient la pension bien qu'elle soit censée avoir pris sa retraite depuis des années. Je ne sais pas ce que nous ferions sans elle. Ce qui nous a mis dans cette situation désespérée, ce sont les frais médicaux pour mon grand-père. S'il connaissait l'état dans lequel nous sommes, il refuserait de continuer à se faire soigner à Seattle.

Et, pensa Tracy, Marc les conduit en avion pour

leur faire économiser le transport ! Ainsi, peu à peu, le puzzle se reconstituait !

— La transformation du jardin d'hiver en salle de restaurant et l'ouverture du bar nous permettent juste de faire face aux dépenses courantes. Quant aux chambres, elles sont peu rentables. Voilà, mademoiselle Cole, vous savez tout. Il me semblait important de vous faire connaître mon point de vue, conclut Elise.

— Mais... excusez-moi d'insister. Vous n'avez touché aucune assurance à la mort de votre mari ?

Elise redressa brusquement la tête.

— Oh ! vous savez, nous ne nous entendions pas très bien, mon mari et moi. Je pense même que la date de sa disparition n'est pas un hasard. Ce serait, en quelque sorte, sa vengeance posthume. Il avait pris une assurance, mais il est mort une semaine avant la date à partir de laquelle je pouvais y avoir droit.

— Comment cela ?

— Les polices d'assurance sont frappées de nullité si le suicide du contractant survient au cours des deux premières années à dater du jour de la délivrance.

— Et alors ?

— Le tribunal a estimé que sa mort était un suicide, et l'assurance n'a pas payé.

— Oh ! Je suis désolée de vous avoir posé toutes ces questions !

— Non, ne vous excusez pas. Je voulais vous faire comprendre l'importance de la vente pour moi.

Elle regarda Tracy bien en face.

— Je ne veux pas que mon grand-père, ni Mme Harlow, ma belle-mère, ni Mme Quartermain se retrouvent dans une maison de retraite. Et je ne veux pas laisser se dégrader cette maison que j'aime. La montagne ne m'est d'aucune utilité. J'ai besoin d'argent, pas de terres.

— Et, sans l'accord de Marc, vous ne pouvez pas vendre ? C'est un nouveau coup de poker que vous tentez ?

— Ah ! je vois ! Il vous a parlé de notre pari.

— Oui. Mais pas de son plein gré. Il a fini par me l'avouer quand je me suis presque fâchée parce qu'il ne voulait pas écouter mes propositions.

Pour la première fois, Elise sourit.

— Voilà qui est bien. Marc a besoin qu'on lui tienne tête, parfois.

Un coup à la porte les interrompit.

— C'est ma belle-mère, Mme Harlow. Elle est un peu sénile et complètement sourde. Vous ne me froisserez pas si vous voulez vous esquiver.

— Merci. De toute façon, je ne comptais pas m'attarder.

Tracy se leva pour partir. Elise ouvrit la porte et une minuscule vieille femme fit son entrée. Elle n'eut même pas l'air de remarquer la présence de Tracy. Cette dernière prit congé d'Elise.

— Revenez quand vous voulez. Et tenez-moi au courant de vos tractations avec Marc.

Elle sourit et ajouta :

— Bonne chance. Vous en aurez besoin !

Tracy se sentait émue par la personnalité d'Elise Schell. Elle aurait vraiment voulu pouvoir l'aider. L'air vif du dehors lui fit du bien après la chaleur étouffante de l'appartement. Elle décida d'aller voir la grande place de Brewster sous la neige. Tout en marchant, elle pensait que le problème était de plus en plus compliqué. Si au moins elle avait pu en parler avec quelqu'un, peut-être y aurait-elle vu plus clair ? Puis une idée lui traversa l'esprit. Et si elle allait voir Kent Regan ?

Sans difficulté, elle trouva l'immeuble du journal. La façade vitrée portait, en lettres d'or, l'inscription *Brewster Times*. Elle sonna et entra, mais personne ne vint à sa rencontre. Tracy remarqua l'odeur particulière de l'encre d'imprimerie mêlée à celles, inattendues, du café et du bacon.

Elle se trouvait dans une pièce presque entièrement occupée par une longue table de bois et décorée, sur les murs, par d'anciennes éditions du journal qui témoignaient de sa longévité.

— Tracy ?

Elle se retourna. Kent était debout dans l'encadrement de la porte du fond. Il s'essuyait les mains à une serviette de table nouée autour de sa taille.

— Malheureusement vous avez manqué le déjeuner, mais nous pouvons prendre un café avant de visiter mon empire !

Tracy contourna la table et pénétra dans une autre pièce presque entièrement occupée par une énorme presse. Un petit escalier conduisait à un grand studio.

— Je dors ici quand il y a beaucoup de travail et la veille du jour de sortie de l'hebdomadaire.

Les murs étaient couverts de livres et de dossiers. Dans un coin, elle remarqua tout un attirail de cannes à pêche et de moulinets.

Kent emplit deux tasses et ils s'assirent sur des bergères capitonnées, près d'un énorme poêle. Tracy se sentait en confiance près de cet homme qu'elle connaissait à peine.

— Alors, comment trouvez-vous Brewster ?

— Très beau. Et merveilleusement conservé. C'est d'ailleurs mon problème. Je pense de plus en plus aux effets néfastes qu'entraînerait nécessairement l'ouverture d'une exploitation minière dans cette région. Les bienfaits m'apparaissent de moins en moins évidents. Tous les arguments de Marc, je me les suis déjà formulés à moi-même depuis que j'ai découvert la ville et la montagne.

Kent se mit à bourrer consciencieusement sa pipe comme s'il s'agissait de la plus délicate des opérations.

— Je ne me suis jamais trouvée confrontée à ce problème, ajouta-t-elle, désemparée.

Il leva les yeux vers elle.

— En somme, vous êtes tiraillée entre votre loyauté envers votre employeur et votre amour pour cette région ?

Et mon amour pour... Marc Durand, ajouta silencieusement Tracy.

Kent entreprit le rituel d'allumer sa pipe.

— Je ne peux pas vous donner de conseil. C'est vous qui devez trouver la solution.

— Sans doute, mais je n'y arrive pas. Je crois savoir quelle position adopter, puis je parle avec Elise et alors, la balance penche dans l'autre sens.

— Vous avez vu Elise ?

— Oui, ce matin. J'ai vu M. Schell aussi. Il est opposé à la vente.

— Je sais. Mais il ne connaît pas leur situation financière et Elise refuse de la lui apprendre. Elle pense que cette vente réglerait tous ses problèmes. Mais elle ne pourra rien faire sans Marc.

— Votre dernière phrase laisse supposer que vous ne croyez pas que Marc vendra. Dans ce cas, je perds mon temps.

— Non, je n'ai pas dit cela.

— Kent, je suis au courant du pari de Marc et d'Elise. Mais je persiste à penser que si je sais lui présenter les avantages, et ils sont nombreux, il voudra peut-être reconsidérer sa position.

— Marc écoutera ce que vous avez à dire, pèsera

le pour et le contre, prendra en considération le cas d'Elise. Puis il prendra une décision. Mais je ne peux vraiment pas présumer laquelle. Sa situation est difficile. J'ignore ce que je ferais, à sa place.

— Si Elise ne peut pas vendre, que va-t-elle faire ? Que deviendra Mille Fleur House ? Et son grand-père ?

— Elise est une femme énergique, une lutteuse, elle se débrouillera.

— Kent, j'aimerais savoir. Qu'y a-t-il entre Marc et Elise ?

— Eh bien...

La sonnerie du téléphone l'interrompit.

— Allô !

Tracy se leva et alla à la fenêtre. Sur la place, un enfant essayait de pousser un énorme traîneau dans la petite côte, derrière le kiosque. Elle se sentit semblable à cet enfant qui avait entrepris une tâche trop difficile pour lui.

Tracy se retourna en entendant Kent approcher.

— C'était Marc. Il vous cherchait et sera à Mille Fleur House dans une demi-heure.

Enfin ! Au bout de trois jours, Marc consentait à l'écouter. Elle n'avait plus beaucoup de temps pour se préparer à l'entrevue de la dernière chance. Si, cette fois, elle n'arrivait pas au moins à se faire entendre, la cause était perdue.

— Bon, je vais me sauver, Kent. Merci de m'avoir écoutée.

— Souvenez-vous que les grandes œuvres ne se réalisent pas par la force, mais par la persuasion.

Tracy réfléchit un instant, puis sourit.

— Et n'oubliez pas non plus cela : gagner peut signifier perdre ! ajouta-t-il sentencieusement.

Tracy prit sa veste et tendit la main à Kent.

— Je me le rappellerai, Kent. A bientôt.

8

Elle courut plus qu'elle ne marcha en direction de Mille Fleur House et grimpa les escaliers quatre à quatre jusqu'à sa chambre.

Après avoir brossé ses cheveux et les avoir remontés en un chignon sévère, elle entreprit de revêtir sa tenue de femme d'affaires new-yorkaise : une jupe de lainage bleu marine, avec une veste assortie et une blouse de soie blanche boutonnée jusqu'au cou. Elle chaussa des escarpins plats bleu foncé et mit un collier de perles. Puis elle attrapa une paire de lunettes qu'elle mettait parfois pour lire et se regarda dans la glace, satisfaite de son allure. Une touche de rouge à lèvres et un peu d'ombre à paupières mirent le point final à sa tenue.

Elle saisit son porte-documents et descendit à la recherche de Mme Quartermain, qu'elle finit par trouver dans un réduit, assise sur une caisse, en train de compter des boîtes de jus de fruits.

— Oh ! bonjour, mademoiselle. Je vous ai cherchée, hier soir. Est-ce que le monsieur qui vous a appelée toute la journée a fini par vous trouver ? Il s'est mis en colère, nous accusant de sabotage et de je ne sais quoi encore !

— Je suis désolée, madame Quartermain. Jonathan Allen peut en effet se montrer déraisonnable quand il n'obtient pas immédiatement ce qu'il veut. Dites-moi, j'aurais besoin d'utiliser 'la bibliothèque. J'ai un rendez-vous de travail avec Marc Durand dans quelques minutes et...

— Mais le feu n'est pas allumé et les radiateurs sont éteints ! Vous auriez dû me prévenir plus tôt.

— Ne vous inquiétez pas. J'allumerai le feu moi-même et j'ouvrirai les radiateurs. Ça se réchauffera vite.

— Bon. D'accord. Excusez-moi, mais j'ai mon inventaire à finir. Voici la clef.

Tracy s'en empara et grimpa à toute allure l'escalier. La bibliothèque était, en effet, glaciale. Des dizaines de livres étaient rangés sur des étagères ; certains avaient de très belles reliures anciennes, remarqua Tracy, mais elle n'avait pas le temps de les examiner pour l'instant.

Le bois, déjà préparé, n'attendait plus que l'allumette pour s'enflammer. De part et d'autre de la cheminée se trouvaient deux fauteuils séparés par un canapé de velours. A grand-peine, Tracy réussit à pousser le canapé. Marc serait obligé de s'asseoir dans un fauteuil ; c'était plus prudent.

Elle rapprocha les deux fauteuils près du feu et alluma des lampes. Une lumière tamisée se répandit, accueillante et intime, ce qui n'était peut-être pas très indiqué. Elle se demanda si elle allait prendre place derrière un bureau, près de la fenêtre, Marc en face d'elle dans le fauteuil. Mais elle jugea, pour le coup, la chose un peu trop protocolaire.

Elle s'assit près de la cheminée et consulta sa montre. Marc était déjà en retard. Elle tira près de son siège une petite table en marqueterie et y déposa son porte-documents. En ayant extrait un volumineux dossier, elle se plongea dans un rapport ardu et technique relatif à l'impact de l'ouverture d'une mine sur l'environnement. Mais très vite elle décrocha. Elle entendait encore les dernières paroles de Kent : « Gagner peut signifier perdre. » Gagner quoi ? Perdre quoi ?

A nouveau, elle tenta de se concentrer, mais son esprit refusait d'obéir, et les images contre lesquelles elle s'était défendue depuis le matin défilèrent devant ses yeux ; cette nuit merveilleuse, lorsque leurs corps confondus ne faisaient qu'un... La tête sur le dossier, elle ferma les yeux et, une fois encore, surgit la vision de leurs corps mêlés, des mains de Marc, de ses lèvres, de son corps qui avait si bien su éveiller ses sens engourdis.

Elle pouvait sentir encore ses caresses, ses mains qui exploraient les secrets de son corps. Elle pouvait entendre sa voix qui murmurait son nom. Perdue dans son rêve, elle oubliait complètement la réalité.

C'était comme si leurs lèvres se joignaient dans un baiser qui fit battre son cœur à grands coups. Elle tendit les bras et ses mains touchèrent quelque chose de rugueux et de chaud. Alors ses yeux s'ouvrirent brusquement. Penché vers elle, Marc se tenait si près que son visage lui parut brouillé, comme à travers une vitre dépolie. Avant qu'elle ait pu réagir, il retira ses lunettes et prit possession de ses lèvres dans un baiser impérieux.

Perdue dans le plaisir de ce baiser bien réel, elle lui donna ce qu'il demandait. Mais quand il s'arrêta et lui tendit la main pour l'extraire de son fauteuil, elle se ressaisit.

— Marc, je vous en prie...

Mais elle était déjà debout dans ses bras. Malgré

son désir fou de s'abandonner, elle se força à résister. Au moment où sa bouche allait toucher la sienne, elle tourna la tête et rencontra sa joue.

— Pourquoi, Tracy ?

Il mit sa main sur sa nuque. Elle détourna son visage de ses yeux interrogateurs.

— Ainsi, vous ne voulez pas m'embrasser ? Vous préférez les caresses ?

Il frôla légèrement son sein. Tracy gémit. Toutes les sensations de la nuit l'inondèrent, mais elle ne voulait pas céder. Pas maintenant.

— Marc, laissez-moi !

Mais il l'étreignit plus fort et glissa sa main sous sa veste.

— Tracy, vous étiez assise ici, perdue dans le souvenir de la nuit dernière. Ne me dites pas que c'est faux.

Elle secoua la tête.

— Non ? Pourtant, vous avez prononcé mon nom à haute voix et, quand je vous ai embrassée, vous avez répondu.

Sa voix était devenue rauque.

— Tracy, la nuit que nous avons passée ensemble sera pour moi inoubliable. Nous avons vécu un moment rare, merveilleux. Je ne peux croire que vous vouliez faire comme s'il ne s'était rien passé.

Il défit le premier bouton de sa blouse.

— Comment pouvez-vous me repousser à présent ? Imaginiez-vous vraiment que je pourrais garder mes distances ?

Les yeux de Marc, brûlants de désir, prirent une teinte bleu foncé.

— Tracy, si vous saviez combien de temps je suis resté à vous regarder dormir dans mes bras...

Marc parlait de désir, de sensualité, mais pas

d'amour. C'était pourtant le seul mot qu'elle aurait voulu entendre.

Qu'avait-elle espéré ? Elle n'était donc rien d'autre pour lui qu'un corps désirable qui lui avait donné du plaisir ? Peut-être que, s'ils s'étaient rencontrés dans d'autres circonstances, si elle avait dû rester, les choses se seraient passées différemment. Mais ils étaient dans des camps opposés et nul n'y pouvait rien. Elle n'aurait jamais dû se donner à lui.

— Marc, écoutez-moi, je vous en prie.

Elle rejeta la tête en arrière.

— Je vous ai dit, hier soir, que la représentante de la société Magnum Mining discuterait avec vous aujourd'hui. Vous m'avez donné votre accord et vous devez vous y tenir.

Marc fronça les sourcils. Dans ses yeux, le désir fit place à la colère et à la frustration.

— Tracy, je...

Il poussa un soupir résigné.

— Bon. D'accord. Je suis prêt à vous écouter et je tâcherai de garder l'esprit ouvert.

Il s'écarta, apparemment froid et maître de lui, et la détailla des pieds à la tête.

— Alors, c'est ça, la tenue de directrice ! s'exclama-t-il, sarcastique.

Sa voix était neutre et calme. Il ramassa les lunettes qu'il avait jetées sur la table et les lui tendit.

— Tenez. Je pense qu'elles sont un accessoire indispensable.

Maintenant, Tracy désirait en finir. Elle se dirigea d'un pas ferme vers son fauteuil, posa le dossier sur ses genoux et leva les yeux sur Marc qui la regardait, debout, les bras croisés.

— Voulez-vous mettre une autre bûche dans le feu, Marc ? La pièce est encore froide.

Il s'exécuta en marmonnant :

— Ce n'est pas la seule chose ici qui soit froide.

Enfin, il prit place face à elle. Il portait un jean de couleur claire et un gros pull-over de laine blanche. Sa tenue formait un contraste total avec celle de Tracy.

— Bien, qu'a donc à me dire la directrice adjointe des achats ?

Il jeta un coup d'œil circulaire dans la pièce.

— Oh ! je vois que vous aviez soigneusement préparé la mise en scène. Le canapé loin du feu, deux sièges face à face... Dommage que vous ayez tout gâché en vous endormant comme une enfant !

Décidément, se dit Tracy, rien n'échappe à ce diable d'homme ! Elle ouvrit le porte-documents, en sortit deux chemises épaisses et lui tendit l'une d'elles.

— Voici un résumé du rapport préliminaire sur les effets socio-économiques et les études sur l'environnement. Il a été réalisé par un bureau d'études indépendant agréé par l'Etat.

Elle ouvrit son propre exemplaire et tourna les pages.

— Si vous lisez de la page trois à la page sept, vous aurez un aperçu des projets de la compagnie pour la région.

Marc se mit à lire. Tracy, adossée à son fauteuil, l'observait.

Comment avait-elle pu être assez stupide pour se laisser surprendre, à moitié endormie, en train de rêver de lui ?

La voix de Marc lui parvint, mais elle n'avait pas compris ce qu'il était en train de dire.

— Comment ?

— Je répète que j'ai fini de lire les pages que vous m'avez indiquées.

Il esquissa un léger sourire, le sourcil levé, et Tracy comprit qu'il avait deviné ses pensées.

— Toujours en train de rêver ?

Sa voix avait cette intonation caressante qui troublait tellement Tracy. Ses joues s'empourprèrent.

— Vous pensez à la nuit dernière, peut-être ?

— Non. Je pense aux bienfaits que la compagnie apporterait à Brewster.

Le rire de Marc emplit soudain le salon tranquille.

— Vous êtes fantastique, Tracy. Quand vous êtes prise en flagrant délit, vous rougissez d'une façon adorable et vous mentez sans sourciller.

La pièce était chaude, à présent. Tracy enleva ses lunettes et les posa sur la table, puis elle ôta sa veste et la plia sur le bras du fauteuil. Les yeux de Marc brillèrent d'une lueur malicieuse. Il n'allait pas laisser échapper l'occasion !

— Vous vous préparez pour la bataille ?

Elle ignora son sarcasme.

— Marc, avez-vous une idée de l'extrême importance du cobalt ? Les Etats-Unis dépendent presque totalement de sources étrangères pour vingt-deux minerais non combustibles. L'instabilité politique dans certains pays contraint notre gouvernement à chercher les moyens de réduire notre dépendance vis-à-vis des pays fournisseurs.

Une bûche s'effondra et une gerbe d'étincelles jaillit dans l'âtre.

— Le cobalt est indispensable pour les moteurs d'avion, les systèmes de propulsion nucléaire, les outils de coupe ultra-rapide, la combustion du fuel synthétique. Un embargo sur le cobalt aurait des effets catastrophiques.

Marc l'observait avec une expression indéchiffrable. Il soupira.

— Quelle étrange succession d'événements! La principale source de cobalt se trouve dans la province de Shaba, au Zaïre. En 1978, il y a une guerre dans le pays. La mine est détruite. Aussitôt, les prix montent en flèche. Aux États-Unis, les compagnies minières recherchent activement d'autres gisements exploitables. Elles découvrent Brewster. Et voilà que, quelques années plus tard, vous êtes ici!

Oui, pensa Tracy, les événements survenus dans un pays lointain m'ont conduite dans cette demeure, en Idaho, pour convaincre un homme, que j'aime à chaque instant davantage, de se séparer d'un pays qu'il aime!

— Que pensez-vous du rapport?

— Il est clair et précis. Les statistiques confirment ce que vous m'avez exposé hier soir. Mais vous ne m'aviez pas dit que, dans les cinq prochaines années, votre compagnie prévoyait onze cents nouveaux emplois. Cela me paraît beaucoup.

— Six cents personnes travailleraient aux opérations d'extraction. Les cinq cents autres emplois concernent le personnel de service.

— Et où les installations seraient-elles implantées?

— Vraisemblablement dans la vallée où nous avons garé la camionnette. Le broyeur serait probablement installé au pied de la montagne.

Tracy imagina ces sites magnifiques, encore sauvages. Comme elle devait paraître insensible en lui annonçant, sans trace d'émotion, que ce vallon couvert de pins et d'amboises, refuge de milliers d'animaux et d'oiseaux, serait défiguré à tout jamais!

Marc secoua la tête.

— Et je vois que quarante-cinq pour cent des postes permanents seraient réservés à la population locale et que le total des salaires se monterait à plus de quinze millions de dollars.

— Oui, la compagnie a prévu un programme complet de formation. C'est une chance merveilleuse pour les jeunes...

— Oh! oui. Si tant est qu'ils acceptent de passer leur vie dans les trous de la mine !

— Mais ils pourraient au moins vivre et travailler chez eux. La ville renaîtrait, au lieu de se dépeupler peu à peu.

La voix de Marc devint dure et tranchante :

— Tout cela me paraît très beau, Tracy, mais ces gens seraient formés à exercer des métiers qui n'auraient qu'un temps. Quand la mine fermera, il leur faudra, de toute façon, aller chercher du travail ailleurs.

— La Magnum Mining a programmé l'opération sur une période d'au moins quinze ans. Ce n'est pas rien. Un investissement de quarante millions de dollars ne peut être affecté à un projet qui serait rapidement liquidé. Il y aurait de l'argent pour les écoles, une clinique bien équipée, des industries annexes. Et puis la moitié du montant des salaires serait dépensée sur place. Brewster deviendrait une communauté prospère.

— Cela signifie que des millions de dollars seraient déversés chaque année sur Brewster. Il y aurait des restaurants, des magasins, des boîtes de nuit partout pour que les salariés dépensent tout cet argent !

— Et alors ? Avec un gouvernement local fort, il est possible de ne pas défigurer un pays, d'édicter des réglementations strictes. L'afflux d'argent dans une région ne signifie pas forcément qu'un fléau s'est abattu sur elle !

— Alors, pourquoi tant de villes américaines sont-elles si tristement semblables, dépourvues du moindre charme, défigurées par une urbanisation anarchique et incontrôlée ? Vous savez bien que les réglementations ont tendance à être favorables à ceux qui ont l'argent. Les promoteurs, les industriels, les compagnies minières, par exemple. Mais parlez-moi plutôt du type d'exploitation qui serait pratiqué ici. Ordinairement, ce n'est ni plus ni moins qu'un pillage !

Tracy fut prise de colère en entendant ces mots. Malgré ses doutes, elle se sentait un devoir de loyauté envers la compagnie. La Magnum Mining n'opérait pas de cette façon. Les lois sur la protection de l'environnement, aussi bien que les assurances, offraient une garantie. Résolue à ne pas se laisser démonter, elle répondit froidement :

— Les méthodes ont changé. Nous utilisons maintenant des méthodes qui respectent l'environnement et tiennent compte des facteurs humains.

— Ça, je demande à voir. De toute façon, quand la mine fermera, la compagnie se retirera pour aller ailleurs... détruire et ruiner une autre région.

— Des millions de dollars seront dépensés pour atténuer les effets néfastes sur l'environnement. La faune sera protégée, le reboisement intégralement assuré. Le genre de méthodes pratiquées du temps de Tobias Brewster n'a plus cours. Il existe des agences de protection de la nature et des lois sociales, je vous le rappelle !

— Vous êtes décidément très forte pour défendre le point de vue de la compagnie.

Il se renversa sur son siège et passa sa main dans ses cheveux.

— Disons que la Magnum Mining peut limiter les dégâts, non restituer au pays sa beauté et sa tranquillité. Pensez aux villes-champignons qui surgissent autour des centres miniers. J'ai mentionné les bars et les restaurants, mais je n'ai encore rien dit des hommes seuls qui viendront travailler à la mine. Quelles distractions pour eux dans une communauté où la vie familiale est encore si importante ? Que feront-ils ? Boire et se divertir dans les bars ? J'ai vu comment la mise en exploitation des schistes bitumineux a fait de petits villages endormis du Wyoming des villes sordides à la criminalité galopante.

Marc fit un geste pour toucher la main de Tracy, mais il s'abstint.

— Vous avez vu Brewster. Sa population a des racines profondes. Nous sommes une petite communauté où tout le monde se connaît. Peut-être n'y a-t-il pas assez d'écoles, peut-être les jeunes s'en vont-ils travailler ailleurs, mais la croissance zéro, comme vous dites, ne signifie pas forcément la stagnation ou la mort. Ce que nous possédons est unique et je veux le garder intact le plus longtemps possible.

Il lui sourit, de ce sourire qui la désarmait toujours.

— A vous de me prouver que j'ai tort et que je devrais vendre.

Tracy savait que tout ce que Marc venait de dire était vrai. Mais elle se devait de jouer son rôle jusqu'au bout.

— La lecture des pages dix-huit à vingt-deux vous ferait peut-être changer d'avis. La compagnie a fixé ses conditions, naturellement négociables, mais vous verrez qu'elles sont très équitables pour vous et les Schell, notamment la méthode pour fixer les bénéfices.

Tracy attendit que Marc eût fini de lire. Quand il leva les yeux, son visage était pâle de colère.

— C'est cette énorme somme d'argent qui est censée apaiser ma conscience afin que je vende quelque chose qui ne m'appartient pas ?

Une braise sauta du foyer. Marc se leva et, d'un coup de pied, la renvoya, puis, avec un tisonnier, il frappa les bûches si violemment qu'une gerbe d'étincelles jaillit. Il s'appuya contre le montant de marbre.

— Tracy, une question : pourquoi ici ? Pourquoi pas ailleurs ? Le Canada est un pays ami des Etats-Unis, n'est-ce pas ?

— Le Canada n'est pas les Etats-Unis, que je sache ! Pourquoi ici, me demandez-vous ? Eh bien, je vous retourne la question : pourquoi pas ici, justement ? Croyez-vous échapper indéfiniment à l'industrialisation et au progrès ? N'avez-vous donc aucun sens civique ? Votre seul but est-il vraiment de protéger envers et contre tous votre cher petit paradis ?

— Vous pensez que je suis un horrible égoïste, n'est-ce pas ?

— Oui, exactement. D'autant que, vous n'êtes pas seul en cause ; que deviendra Elise Schell, par exemple, si vous refusez de vendre ?

— Elle trouvera bien un moyen de garder sa précieuse maison. Kent est riche, elle n'a qu'à l'épouser.

C'était donc ça, sa vision du mariage ! Pas étonnant que sa femme ait voulu divorcer. Pour lui, une femme, en se mariant, se vendait pour résoudre ses problèmes ! Elle était indignée, mais n'en laissa rien voir, résolue à brûler sa dernière cartouche.

— L'Idaho a une longue histoire minière. D'autres, ici, ont fait fortune dans les mines d'argent. Quand vous m'avez montré votre montagne, vous n'avez pas mentionné que Tobias Brewster avait contribué à violer cette terre. M. Regan et M. Durand ont eu leur part aussi, et M. Schell, par son mariage. Ces gens ont créé des dynasties de familles qui ont vécu et vivent encore très bien avec de l'argent gagné selon la méthode que vous appeliez « pillage » tout à l'heure.

Marc s'approcha. Ses yeux lançaient des éclairs.

— Et alors, devrais-je me sentir coupable des crimes de mes parents? Devrais-je continuer à gagner de l'argent avec une terre qui ne m'appartient pas, mais qui appartient aux générations futures d'Américains? Si la montagne est vendue, tout le monde y perdra, sauf votre compagnie.

— Et votre pays, les Etats-Unis, vous y pensez?

Elle avait presque crié. D'un bond, elle se leva et ramassa ses documents. Il la dominait d'une tête, mais elle leva son visage, et ils s'affrontèrent du regard.

— Oui, Marc Durand, je pense que vous êtes un égoïste. Et puisque nous en sommes là, je peux tout aussi bien vous dire ma pensée.

Elle recula d'un pas pour mieux voir.

— Je suis venue ici sur votre demande pour mener une négociation d'affaires entre vous et la compagnie que je représente. Mais vous avez considéré cela comme une simple plaisanterie. Vous avez réagi comme si la Magnum Mining était un énorme monstre, prêt à dévorer la montagne. La société veut, certes, réaliser des profits, mais elle a la réputation de conduire ses affaires honorablement et proprement.

Elle repoussa avec colère une mèche de cheveux sur son front.

— Depuis le premier jour où je vous ai rencontré, pas une seule fois vous ne m'avez prise au sérieux. Vous n'avez vu en moi qu'une partenaire pour passer un week-end. Eh bien, le week-end est fini ! Si vous ne voulez pas vendre, dites-le clairement. Je n'ai pas l'intention de continuer à perdre mon temps ici.

Elle se pencha et fourra sans précaution les chemises dans son porte-documents. Ses lunettes tombèrent de la table et atterrirent dans le feu.

Tracy s'apprêtait à les saisir, mais Marc la retint par le bras. Déjà, les flammes léchaient le plastique brillant.

— Zut !

Elle se dégagea, attrapa sa veste, et se dirigea d'un pas décidé vers la porte. Fermée à clef ! Elle eut une exclamation d'impatience et se retourna.

Marc s'approchait d'un pas tranquille, les clefs à la main.

— Où pensez-vous aller ?

— D'abord, annoncer la nouvelle aux Schell. M. Schell sera ravi. Quant à Elise, elle peut commencer à préparer son mariage. Et qu'importe si elle n'aime pas l'homme que vous lui destinez, n'est-ce pas ? Vous serez sans doute le garçon d'honneur !

La voix de Tracy était dure, cassante.

— Remarquez, vous pourriez faire mieux encore et l'épouser vous-même ; ainsi, la montagne resterait dans la famille. Après avoir annoncé cette bonne nouvelle à Elise, je ferai mes valises.

— Vos valises ? Vous partez ?

— Ma mission est terminée. Je regagnerai Sun Valley cet après-midi.

— Là, vous vous trompez, Tracy. La route est fermée à l'entrée du col. Vous ne pourrez aller nulle part tant que les routes ne seront pas dégagées !

9

Elle grimpa dans sa chambre en courant et se précipita à la fenêtre. Marc se dirigeait vers la camionnette. Avant de monter, il jeta un coup d'œil vers elle et, d'un geste comiquement cérémonieux, souleva son chapeau de cow-boy, puis il lui fit une profonde révérence.

La voiture rouge s'éloigna et Tracy se sentit soudain désemparée et misérable. Elle éclata en sanglots. Son échec était complet. Non seulement elle avait manqué sa mission, mais encore cet homme s'était joué d'elle depuis le début !

Accablée, aveuglée par les larmes, elle s'assit dans le grand fauteuil, près de la cheminée. Elle revoyait en pensée la dernière scène qu'elle venait de vivre, cette confrontation pleine d'amertume et de rancœur. Maintenant, il n'y avait plus rien à faire et le pire, c'est qu'elle était bloquée là, pour plusieurs jours peut-être, sans autre perspective que de ressasser sa tristesse et son chagrin.

Elle s'était donnée à Marc dans un élan de passion et elle ne le regrettait pas. Mais qu'avait-elle espéré ? Qu'il lui demande de rester et de l'épouser ? Et cela, l'aurait-elle voulu ? Aurait-elle été prête à renoncer à tout, à sa carrière, à New York, à ses amis, pour venir s'enterrer au fin fond de l'Idaho ?

Un sourire amer tordit sa bouche : la question ne se posait pas, hélas ! Quant à sa carrière, qu'allait-elle devenir après un ratage aussi complet ?

Le bourdonnement de l'interphone la fit sursauter. Elle regarda sa montre : déjà cinq heures ! Et si c'était Marc ?

Elle appuya sur le bouton.

— Mademoiselle Cole ? Ici Pamela, à la réception. Une communication pour vous, de New York. Il vous faut descendre la prendre au salon. Il n'y a pas de téléphone à votre étage.

— Merci. J'arrive.

En traversant la chambre, Tracy aperçut dans le miroir son visage pâle et défait. Elle n'était plus la triomphante représentante de la compagnie, sûre d'elle, mais une femme malheureuse, hantée par un impossible amour.

Qu'allait-elle dire à son patron ? Maintenant, elle ne pouvait plus reculer puisqu'il n'y avait plus d'espoir !

— Comment ? Il ne vend pas ? Vous lui avez bien tout expliqué ? s'exclama-t-il dès qu'elle se fut annoncée au téléphone.

— Oui, Jonathan. Je lui ai tout dit, je lui ai même offert les conditions maximales. Il a finalement répondu qu'il ne pouvait pas vendre quelque chose qui ne lui appartenait pas.

— Quoi ? Mais c'est faux ! Le service juridique a vérifié. Les Schell et lui possèdent cette zone. Qui serait le propriétaire, selon lui ?

— Les futures générations d'Américains.

— Oh ! je vois ! Un idéaliste !

Dans la bouche de Jonathan Allen, le mot était une insulte. Pendant cinq bonnes minutes, il se lança dans une diatribe contre les écologistes, et les passéistes qu'il alla jusqu'à traiter de mauvais Américains. Puis il s'arrêta, à bout de souffle, non sans avoir dit, d'un ton menaçant :

— Nous en parlerons dès votre retour.

Tracy comprit immédiatement que, cette fois, on ne lui pardonnerait pas son échec. Elle ne répondit pas et, au bout de quelques secondes, il reprit d'une voix plus posée :

— Tracy, il y a peut-être encore une chance. Pourriez-vous faire venir Durand à Reno ?

— A Reno ? Pourquoi ?

— Nous y avons un agent qui pourrait parler à Marc Durand d'homme à homme.

Tracy n'entendit pas la suite. D'homme à homme ! C'était donc cela ! Tous les beaux discours libéraux de Jonathan Allen n'étaient que mensonges. A présent, il trahissait le mépris qu'il avait pour elle en la soupçonnant d'avoir échoué parce qu'elle était une femme !

— Tracy ! Je vous ai posé une question : pouvez-vous demander à Marc Durand de se rendre à Reno ?

— Je... je ne sais pas. Il a beaucoup à faire à son ranch. Et puis, avec la neige, les déplacements sont difficiles. D'ailleurs, je ne pense pas qu'il changera d'avis et...

Il l'interrompit.

— Louez un avion ! Je ferai réserver deux chambres par ma secrétaire pour demain soir. Dès que vous serez à Reno, téléphonez-moi, je vous dirai qui contacter. C'est la dernière chance, Tracy. Au revoir !

Elle n'avait pas le choix ! Au point où j'en suis, se

dit-elle, une humiliation de plus ou de moins ne change pas grand-chose ! Puis elle réfléchit au fait qu'un refus réitéré de Marc lui permettrait peut-être, à elle, de sauver son travail. La compagnie verrait que ce n'était pas une question d'homme ou de femme.

Un peu rassérénée, elle décida d'aller prendre quelque chose ; depuis le matin, elle n'avait rien avalé.

En passant devant la bibliothèque, elle pensa à Elise et aux mauvaises nouvelles qu'elle allait devoir lui annoncer. Mais, soudain, une idée lui vint à l'esprit et elle pénétra dans la pièce déjà refroidie. Ce matin, elle n'avait pas eu le temps de regarder les livres, mais elle avait tout de même remarqué que, pour la plupart, ils étaient reliés, et que certains paraissaient de grande valeur.

Elle en prit plusieurs sur les rayonnages et les examina. Un sourire lui vint aux lèvres. Elle n'était pas spécialiste des ouvrages anciens, mais suffisamment tout de même pour se rendre compte qu'il y avait là des livres de grande valeur, dont nombre d'éditions originales avec, généralement, de magnifiques reliures d'époque.

Pour s'être rendue, quelques mois auparavant, à une grande vente aux enchères, à New York, elle savait que le prix d'un seul livre pouvait atteindre des sommes énormes. Elle voyait là, justement, une première édition de Charles Dickens, qui permettrait de payer l'entretien de Mille Fleur House pendant plusieurs mois !

Après tout, Elise serait bien obligée de faire un choix puisqu'elle ne pouvait compter sur l'ouverture de la mine !

Tracy se sentit un peu réconfortée. La situation

d'Elise et de son grand-père n'était pas aussi tragique qu'elle l'avait imaginé.

Elle avala son repas sans grand appétit et, au moment où elle allait quitter la salle à manger, elle se retrouva face à face avec Marc.

Il lui sourit avec chaleur, comme si rien ne s'était passé. Elle se sentit rougir et dut faire un effort terrible sur elle-même pour refouler les larmes qui lui montaient aux yeux.

— Tiens, mademoiselle Cole a renoncé à sa tenue de directrice ? Vous êtes ravissante...

Sans lui laisser le temps de poursuivre, de peur qu'à nouveau elle ne se laisse troubler par lui, elle déclara du ton le plus neutre possible :

— Jonathan Allen m'a demandé si vous pourriez vous rendre à Reno demain avec moi pour rencontrer un autre représentant. Je peux louer un avion, à moins que nous ne prenions le vôtre ?

Marc la fixa avec incrédulité.

— Et pour quoi faire ? De quel représentant s'agit-il ?

— Jonathan pense que là où j'ai échoué, un autre peut réussir... un homme, cette fois.

Ses paroles étaient plus amères qu'elle ne l'aurait voulu, mais elle se sentait profondément blessée.

— Oh ! une action d'arrière-garde est engagée. Ils font appel aux troupes de réserve. Et il s'agit d'un homme, dites-vous ? Madame la directrice n'en est-elle pas offensée ?

— Je vous en prie, Marc, épargnez-moi vos sarcasmes. J'ai dit que cela ne servirait à rien, mais ils y tiennent absolument. Je suppose qu'ils vont augmenter le prix, voilà tout.

Marc éclata de rire. Il lui prit la main et la fit asseoir à côté de lui, sur un canapé du hall d'entrée.

— Pensez-vous qu'écouter deux représentants fasse partie du pari ?

Tracy retira sa main.

— Comme vous voulez. Je vais appeler Jonathan pour dire que vous refusez.

— Mais non ! Allons-y. Je ne voudrais pas manquer ça !

Il avait l'air de franchement s'amuser, comme si, pour lui, la plaisanterie ne faisait que continuer.

— Pensez-vous que je pourrai trouver quelqu'un pour ramener ma voiture de location à Sun Valley ?

— Bien sûr, je vais demander à Sam.

Il se leva.

— Vous n'avez plus qu'à faire vos bagages. Venez ensuite chez moi. Nous partirons tôt demain matin.

Il souriait, très à l'aise, comme s'il n'y avait jamais eu le moindre problème entre eux.

Tracy était devenue pâle de colère. Elle se sentait complètement manipulée ; en échange d'une nuit de plaisir, il acceptait d'aller discuter entre hommes à Reno. Mais elle se contint et dit d'une voix neutre :

— Non. Vous pouvez aussi bien passer me prendre ici à huit heures et demie.

— Pourquoi, Tracy ? C'est beaucoup plus simple que vous veniez au ranch. On dirait que vous essayez de vous débarrasser de moi.

— Peut-être, oui.

Sans attendre de réponse, elle se dirigea vers l'escalier.

Elle ferma la porte de sa chambre à double tour et resta quelques secondes appuyée contre la porte. Elle se sentait extrêmement lasse. Après avoir pris deux cachets d'aspirine, elle se mit au lit et éteignit. Mais le sommeil fut long à venir. Des questions sans réponse tournaient dans sa tête : qui était le représentant de Reno ? Que ferait-elle de Marc, une fois là-bas ? Enfin, elle s'endormit d'un sommeil lourd et agité.

10

Pendant le voyage, Tracy se tint sur la réserve et
se contenta de regarder le paysage grandiose que
survolait l'avion. Après les montagnes de l'Idaho et
du Nevada, elle découvrit le désert, puis les collines
arrondies qui précédaient Reno. A l'est, une vaste
chaîne montagneuse fermait l'accès à la petite ville
animée.

Une voiture de location les attendait. L'hôtel,
situé à la lisière du désert, était à quelques kilomètres de l'aéroport.

— Vous êtes déjà venue à Reno ?

— Non. Et je n'ai encore jamais fréquenté de
casino.

Marc éclata de rire.

— Moi qui croyais que les New-Yorkais avaient
tous les vices !

Ils entrèrent dans le luxueux hôtel-casino et Tracy
laissa échapper une exclamation de surprise à la
vue de la pièce gigantesque, remplie de gens instal-
lés aux tables de baccara et de roulette. Une tension
presque palpable régnait dans la salle. D'énormes

chandeliers de cristal, suspendus à un plafond rouge et or, diffusaient une lumière tamisée.

— La surface du plancher équivaut à celle de deux terrains de football. Impressionnant, non ?

Il la prit par le bras et ils se dirigèrent vers le hall d'entrée de l'hôtel proprement dit, face à la salle de jeu.

— Vous devez avoir deux chambres réservées aux noms de Marc Durand et de Tracy Cole.

— Parfaitement, mademoiselle. Le 2180 et le 2182. Je vous souhaite un agréable séjour.

La réceptionniste tendit les clefs au groom qu'ils suivirent dans l'ascenseur.

Le garçon ouvrit une porte et déposa les bagages puis, après avoir reçu un pourboire, les laissa seuls.

Ils entrèrent dans la première suite dont le luxe stupéfia Tracy. Une grande pièce avec des canapés, un bureau, un bar et un coin repas ouvrait, par une porte cintrée, sur une chambre au milieu de laquelle trônait un énorme lit à baldaquin tendu de brocart. Mais le plus étonnant était la salle de bains, entièrement couverte de mosaïques à l'ancienne représentant des intérieurs de thermes romains, avec une baignoire immense à laquelle on accédait par des marches. Spontanément, les lieux évoquaient le luxe, la volupté, la douceur de vivre.

— Je pense que je vais apprécier notre séjour à Reno !

Tracy se sentit rougir et le rire de Marc ajouta à son trouble.

— Moi, je n'y suis pour rien, Tracy. C'est Allen qui a tout arrangé. Je sens que je commence à aimer la Magnum Mining !

Tracy, mal à l'aise, proposa de visiter l'autre suite. Ils revinrent dans l'entrée commune aux deux appartements et découvrirent un petit salon, une

125

chambre et une salle de bains, tout à fait confortables, mais beaucoup plus traditionnels.

— Bon, je prends celle-ci, dit Tracy. Après tout, c'est vous que la compagnie cherche à impressionner.

— Dans ce cas, j'accepte. Je propose que nous allions faire un tour au casino. Vous avez de la chance au jeu ?

— Je n'en sais rien. Mais allez-y. Je vous rejoindrai tout à l'heure.

— Non, je vous attends. Vous n'aurez qu'à frapper à la porte de communication. Pour respecter les convenances...

Immédiatement, elle appela New York. Jonathan et sa secrétaire étaient absents, et personne ne put lui donner le nom de l'actuel représentant à Reno. Elle demanda qu'on la joigne le plus tôt possible et que, en cas d'absence, Jonathan lui laisse un message.

Puis elle donna un autre coup de fil et partit retrouver Marc. Tandis qu'ils descendaient dans l'ascenseur, il lui raconta une scène qui l'avait intrigué.

— Vous savez, en allant vous chercher ce matin, à Mille Fleur House, j'ai rencontré Elise qui sortait de la bibliothèque, les bras chargés de livres.

— Ah ! oui ?

Tracy savait pourquoi, mais elle se garda bien de le dire à Marc.

Très tôt dans la matinée, Tracy était descendue prendre un café et avait trouvé Elise dans la salle à manger. Après lui avoir fait un bref compte rendu des dernières péripéties de la négociation, elle lui avait dit qu'en cas d'échec — ce qui était probable — elle pourrait toujours vendre quelques livres de la bibliothèque.

126

Devant l'incrédulité d'Elise, Tracy lui avait expliqué qu'elle possédait des ouvrages d'une très grande valeur et lui avait donné le numéro de téléphone d'un commissaire-priseur à New York.

Auparavant, Tracy avait appelé Elise qui, ayant pris contact avec cet expert, s'était vu confirmer ce qu'elle lui avait dit. Elise lui avait apporté quelques précisions :

— Vous savez, quand, une fois par an, je voyais débarquer une employée de la bibliothèque municipale avec deux étudiants pour nettoyer les reliures, je pensais que c'était une pure formalité ! Vous m'avez sauvé la vie, Tracy ! Dire que j'ignorais que je possédais un vrai trésor ! Ils enverront quelqu'un dès la semaine prochaine !

Tracy se sentait le cœur beaucoup plus léger, à présent. Au cours de l'après-midi, elle en oublia même de passer à la réception pour savoir si Jonathan avait appelé.

Elle visita l'hôtel avec Marc. C'était une véritable ville ! Il y avait un tennis, deux piscines, un bowling, un cinéma et quantité de boutiques. A un moment, Marc s'éclipsa pour faire une course, puis ils allèrent prendre une petite collation.

— Et maintenant, le grand jeu ! Allons au casino !

Malgré la quantité de monde qui s'y trouvait, Tracy fut étonnée du calme qui régnait. On n'entendait que le cliquetis des pièces des machines à sous et des jetons.

Marc alla changer des billets et ils commencèrent à jouer. Elle s'essaya d'abord au *black-jack*, dont elle ne comprit pas tout de suite les règles. En revanche, elle n'eut pas de mal à constater qu'elle avait perdu ! Marc la conduisit ensuite à la table de dés, un jeu tout aussi rapide à engloutir votre argent !

— Pas de chance pour les novices, semble-t-il.

Marc se pencha et l'embrassa dans le cou.

— Vous connaissez le vieux dicton : « Heureux au jeu, malheureux en amour ». Comment se porte votre vie amoureuse ?

— Tracy Cole !

Elle sursauta et ils se retournèrent en même temps pour apercevoir un homme de taille moyenne qui portait avec élégance une veste de sport et un pantalon de lainage assorti.

— Eric Schaeffer !

Elle laissa échapper son nom dans un murmure, abasourdie, tandis qu'il se précipitait vers elle et l'embrassait sur les deux joues.

Puis il recula un peu.

— Laissez-moi vous regarder...

Elle jeta un coup d'œil à Marc qui observait la scène d'un air furieux.

— Tracy, vous êtes splendide !

— Eric, j'aimerais vous présenter...

Après les présentations, ils se dirigèrent tous trois vers un petit salon et commandèrent des boissons. Tandis qu'Eric dévorait Tracy des yeux, Marc fronçait les sourcils et Tracy attendit que l'un d'eux engageât la conversation. La présence d'Eric la laissait absolument froide ; il ne faisait plus partie de sa vie, la page était tournée. C'est elle qui rompit enfin le silence :

— Je vous croyais en Amérique du Sud.

— J'y étais, mais j'ai attrapé une maladie tropicale et j'ai dû rentrer. Je vais tout à fait bien maintenant mais, avant de repartir en Guyane, j'ai été chargé de faire une étude au Nevada. Et puis on m'a téléphoné de New York pour me prévenir que vous arriviez avec Marc Durand.

Ainsi, Jonathan Allen lui avait volontairement caché le nom du représentant à Reno !

128

Eric se tourna vers Marc. Adossé à son siège, il faisait rouler un dollar sur sa paume, un sourire amusé aux lèvres.

— Monsieur Durand, j'ai cru comprendre que vous possédiez quelque chose que la Magnum Mining désire acheter. Je suis censé voir si je puis vous faire une offre que vous ne refuserez pas.

A ces mots, Tracy fit une grimace. Eh bien! on allait voir comment un homme allait se débrouiller face à un Marc Durand obstiné et inflexible!

Marc ne cachait pas son hostilité envers Eric. Le jeune ingénieur se défendit du mieux qu'il put, mais plus la conversation durait, plus ses arguments semblaient faibles et inconsistants face à la détermination de Marc.

Tracy se garda d'intervenir, comme si elle n'était qu'un simple arbitre qui comptait les points.

Eric, décontenancé, appela la serveuse pour commander de nouvelles consommations. Marc et Tracy refusèrent.

— J'ai réservé trois couverts pour le dîner-spectacle.

Marc consulta sa montre et répondit :

— Il est près de quatre heures. Je propose que nous nous retrouvions à six heures et demie pour l'apéritif. Vous aurez peut-être trouvé quelque chose de nouveau à me dire, d'ici là...

La désinvolture ironique de Marc laissa le jeune homme muet. Il attrapa le verre de scotch qu'il s'était fait apporter, tandis que Marc se levait et entraînait Tracy vers la sortie.

De retour dans l'appartement de Marc, celui-ci se tourna vers Tracy avec une agressivité mal dissimulée.

— Que diable se passe-t-il? Eric Schaeffer m'a

peut-être fait des discours sur le cobalt, mais il ne regardait que vous et ne pensait qu'à vous.

Il lança sa veste sur un fauteuil et attendit la réponse. Tracy lui lança :

— Seriez-vous jaloux ?

— Oh ! Tracy, pas d'hypocrisie. Qui est ce monsieur et comment se fait-il qu'il ait l'air de si bien vous connaître ?

Sans réfléchir, elle rétorqua :

— De quel droit me posez-vous des questions sur Eric ? Et Elise, alors ?

— Elise ? Qu'est-ce qu'Elise vient faire là-dedans ?

Les mains sur les hanches, il la fixa, les sourcils froncés.

Tout de suite, elle sentit qu'elle perdait pied.

— Je... Rien. Je regrette, mais...

— Qu'est-ce qui vous fait croire qu'il y a eu quelque chose entre Elise et moi ? Expliquez-vous. Vous en avez dit trop ou trop peu.

Effectivement, elle était prise au piège.

— Blanche m'a dit que tout le monde en ville spécule sur un mariage d'Elise. Avec Kent ou avec vous.

Marc se mit à rire.

— Oh ! je vois. La commère vous a mis la puce à l'oreille. J'aurais dû m'en douter. Je comprends : vous avez pensé que j'aimais Elise.

Il secoua la tête, et une mèche de cheveux tomba sur son front.

— C'est Kent, et pas moi, qui aime Elise depuis des années.

Marc se détourna, alla à la fenêtre et contempla la ville, au loin. Puis il poursuivit, comme pour lui-même :

— Un jour, Kent se déclarera. Quant à Elise, pour

l'instant, elle n'a qu'une seule idée : sauver Mille Fleur House.

— Mais alors, pourquoi Frank était-il à ce point jaloux de vous ?

Une expression de souffrance se peignit sur le visage de Marc.

— Asseyez-vous, Tracy. Je vais tout vous raconter.

Marc détestait parler de lui-même, elle le savait.

— Marc, vous n'êtes pas obligé de...

Tracy prit place sur un fauteuil face à lui.

— Non. Je ne suis pas obligé, mais je veux que vous sachiez.

Il s'arrêta pour prendre une profonde inspiration.

— Après le mariage d'Elise et de Frank, je suis parti à l'armée. Ce n'était pas par dépit amoureux, mais il me semblait que je n'avais rien de mieux à faire alors. Quand j'ai été blessé, j'ai rencontré Abigail, je l'ai épousée et ramenée en Idaho. Elle détestait ce pays et voulait que nous nous installions en Californie. Mon père était malade, à l'époque, et je désirais rester ici m'occuper du ranch et me consacrer à la sauvegarde de Brewster.

Il s'arrêta et fit un effort visible pour se forcer à continuer :

— Abigail n'était pas d'accord et elle est partie. Mais avant, elle s'est vengée en allant dire à Frank Harlow qu'elle partait parce que j'aimais Elise et que nous avions une liaison.

Marc se pencha en avant et serra les mains l'une contre l'autre :

— Ça a été le début de la jalousie de Frank qui s'est développée comme une véritable maladie dont les effets se font encore sentir, même après sa mort.

Il soupira et rejeta la tête en arrière. Tracy

mourait d'envie d'aller vers lui et de le consoler, mais elle ne bougea pas.

Marc s'était tu, perdu dans ses souvenirs, puis il se leva d'un bond et la regarda, le regard brûlant de désir.

— Marc... J'ai encore quelques...

Il ne la laissa pas achever et se pencha vers elle pour l'embrasser.

— Marc, non. Nous n'avons pas le droit.

Elle se mit debout et recula, prête au combat.

— Bien, Tracy, d'accord.

Surprise et étrangement déçue, elle resta muette. Alors il lui prit la main et l'entraîna vers la salle de bains.

— Marc !

Il claqua la porte et, la tenant toujours, il ouvrit les robinets de la baignoire. Puis, tirant un flacon de sa poche, il en versa tout le contenu. L'eau, devenue bleue, se mit à mousser.

Ainsi, voilà ce qu'il était allé acheter ! La scène avait été mijotée bien longtemps à l'avance !

— Pendant que la baignoire se remplit, nous allons oublier la compagnie, Eric Schaeffer, Elise et les autres. Nous allons nous déshabiller et...

— Marc, le seul moyen de me faire entrer dans cette baignoire est de m'y jeter. Je n'irai pas de mon plein gré.

— Habillée ou déshabillée ? demanda-t-il, provocant.

En cherchant à lui échapper, elle glissa et serait tombée s'il ne l'avait pas retenue.

— Alors je pose la question autrement : vous irez consciente ou inconsciente ?

Sous l'effet de la vapeur, la blouse de soie de Tracy lui collait à la peau. Marc avança la main vers le col.

132

— Pourquoi ne portez-vous que des vêtements à boutons ? N'avez-vous jamais entendu parler des fermetures Eclair ?

Tracy essaya de se dégager. Un bouton sauta, vola et tomba dans la baignoire.

— Vous rendez l'opération difficile.

— Marc, arrêtez. Je l'exige.

Le ton de sa voix était moins énergique qu'elle ne l'aurait souhaité. Marc la désirait et elle désirait Marc. Mais après, que se passerait-il ?

— Marc, je ne veux pas.

— Vous l'avez déjà dit et vous voyez bien que ça ne change rien.

Il dégrafa sa ceinture et la jupe glissa par terre.

— Si vous continuez, je...

— Eh bien ?

Il la lâcha.

— Vous êtes libre, partez si vous le voulez.

Elle ne fit pas un mouvement. Marc recula et glissa. Il se cogna le bras sur le bord de la baignoire.

L'air penaud, il se frotta le coude. A ce moment, Tracy fut prise d'un fou rire devant le comique de la situation. A travers la vapeur odorante, elle vit que la baignoire allait déborder et se précipita pour fermer les robinets. Encore secouée de rire, elle prit une poignée de mousse blanche, en couvrit le menton de Marc et s'esclaffa :

— Je sais maintenant à quoi vous ressemblerez quand vous serez vieux.

— Oh ! ainsi, vous pensez que vous serez là pour le voir ?

Cette remarque dégrisa soudain Tracy. Elle se rendit compte qu'elle-même venait de le provoquer et elle voulut ramasser sa jupe pour s'enfuir dans sa chambre. Si elle ne le faisait pas tout de suite, il serait trop tard et elle ne pourrait plus résister.

Mais alors, Marc qui, sans doute, avait encore une fois saisi ses pensées, encercla sa taille et dit avec une sorte de gravité :

— Tracy, je voudrais trouver les mots pour vous dire combien vous êtes belle.

Son regard brillait d'un feu dont la signification était claire. Là, contre lui, elle sentait que son cœur recommençait à s'affoler. Oh ! et puis, pourquoi essayer d'empêcher ce qu'elle voulait, elle aussi, de toutes les fibres de son être ? Pourquoi se défendre ? Maintenant, elle n'avait plus rien à prouver ; c'était Eric le représentant de la compagnie, elle était donc libre de faire ce qu'elle voulait.

Presque timidement, d'une main qui tremblait un peu, elle avança la main vers Marc et commença à déboutonner sa chemise.

Il s'assit sur le rebord de la baignoire et, lui aussi, se mit à défaire la blouse de la jeune femme. Leurs doigts s'emmêlaient, leurs souffles se précipitaient et, avant qu'ils aient pu achever de se dévêtir, leurs bouches s'étaient jointes dans un baiser passionné qui était comme la promesse du plaisir qui allait les emporter.

Avec impatience, ils achevèrent de se déshabiller et furent nus, l'un devant l'autre. Au corps mince et délié de Tracy faisait face celui athlétique, musclé et brun de Marc. Tous deux étaient beaux et ils se contemplèrent longuement, savourant ce moment magique où le temps était comme suspendu avant le déferlement du désir et de la passion.

Puis ils s'avancèrent l'un vers l'autre. Déjà, la bouche de Marc s'était emparée des lèvres de Tracy qui répondait avec ardeur à ses baisers pleins de feu. Avec légèreté, sans s'arrêter, il suivait les courbes de son corps comme s'il voulait l'envoûter,

134

l'entourer complètement de ses caresses, qu'elles deviennent pour elle la seule réalité perceptible et désirable.

Pour la première fois, Tracy était en accord avec elle-même ; elle n'avait plus besoin d'oublier qui elle était ni qui il était pour se laisser aller à l'émotion sensuelle qui s'emparait d'elle. Elle vibrait jusqu'au plus profond d'elle-même ; il n'y avait pas une fibre de son être qui ne désirât appartenir à cet homme.

Quand la main de Marc frôla ses seins, elle gémit et se cambra contre lui. Il l'embrassa à nouveau jusqu'à lui faire perdre le souffle, sans cesser de la caresser. Elle avait l'impression que, s'il n'en finissait pas, elle allait perdre la raison, chavirer...

D'une voix étrangement altérée, elle l'appela :

— Marc ! Oh ! Marc.

Il s'arrêta, prit sa main et la posa sur son torse couvert d'une toison douce et bouclée.

— Touchez-moi, Tracy. J'ai autant besoin de vos caresses que vous des miennes.

Alors, à son tour, elle explora le corps de Marc, d'abord timidement, puis avec une audace qui la grisait. Elle se pencha et se mit à embrasser sa poitrine tandis que ses doigts parcouraient ses hanches, ses cuisses longues et musclées.

Puis elle s'agenouilla et pressa sa tête contre son ventre. Marc gémit, la prit par les épaules et la fit se relever.

— Tracy, je vous en prie. Je...

Il la souleva de terre et, la prenant dans ses bras, la déposa sur le lit.

Pour Tracy, le monde avait basculé, s'était ouvert à une dimension nouvelle qu'elle n'avait jamais imaginée jusqu'alors. Non seulement elle découvrait sa propre sensualité, mais aussi celle de l'homme qui, maintenant, était debout devant elle et la regardait avec une telle intensité qu'elle vibrait tout entière éperdue de désir.

Elle lui tendit la main et l'attira sur le lit. Marc se mit à dévorer son corps de baisers, la faisant monter au paroxysme de l'excitation.

Sa bouche descendit lentement de sa gorge à ses genoux, puis remonta le long de ses jambes avec une lenteur savante qui la mit à la torture.

Elle ne pouvait retenir des gémissements de volupté et, chaque fois qu'elle murmurait son nom, il répondait par une nouvelle caresse.

— Maintenant, Marc ! Je vous en prie...

Il s'arrêta et regarda son corps offert, son visage auréolé d'une masse de cheveux dorés dans la lumière de la fin de l'après-midi.

— Pas encore, Tracy. A vous, maintenant.

Confiante et sûre d'elle, elle commença sur lui les gestes de l'amour. Elle voulait lui faire ressentir des sensations aussi intenses que celles qu'elle venait de connaître et s'appliqua à le mettre au supplice.

Ses mains s'émerveillaient de la perfection du corps de Marc. Elle s'enivrait du contact de sa peau, de son goût, de son odeur. A plusieurs reprises, il voulut l'attirer tout contre lui, mais elle le repoussa doucement.

— Non, Marc. Pas encore...

Et c'était comme si tous ces gestes si nouveaux étaient absolument naturels, totalement évidents.

— Tracy, comme vous avez vite appris !

— Oh ! Marc, c'est parce que vous...

Quelle importance ? Elle ne voulait pas lui dire qu'elle l'aimait, pas encore. Elle voulait le lui montrer. Les mots viendraient plus tard et, même s'ils ne venaient jamais, elle vivait, maintenant, les moments les plus importants, les plus beaux de sa vie.

Par un accord tacite, leurs mouvements se firent plus lents, pour prolonger le délicieux tourment. Tracy posa autour de sa bouche de petits baisers, tandis que les mains de Marc couraient sur son dos.

Sur son ventre, elle découvrit les traces d'une longue cicatrice qu'elle suivit du bout du doigt. Etait-ce la blessure dont il avait parlé ? Elle allait le lui demander quand il la fit basculer sur le dos.

A nouveau, il s'appliqua à aviver sa passion. Bientôt, elle fut à la fin de ce qu'elle pouvait supporter et s'arqua contre lui. Enfin, quand leurs corps s'unirent, Tracy eut l'impression qu'ils accomplissaient un rite sacré qui transcendait le simple acte physique de l'amour.

Soudés l'un à l'autre, ils oublièrent toute notion du temps et de l'espace pour se perdre dans un océan de volupté. Le plaisir monta en eux comme les vagues à l'assaut du rivage, puis finit par tout recouvrir, comme un raz de marée violent qui les laissa éperdus, brisés, heureux.

Lentement, ils revinrent à la réalité. Peu à peu, leur souffle s'apaisa et ils se sourirent, émerveillés.

Tracy sentait bien qu'une telle harmonie signifiait davantage pour Marc qu'une simple aventure.

Pour elle, elle savait déjà ce qu'il en était. Jamais, sans amour, elle n'aurait pu se donner si totalement à un homme.

— Marc, c'était encore plus merveilleux que ce que nous avons vécu l'autre nuit.

Des larmes de bonheur lui montèrent aux yeux et elle cacha son visage contre l'épaule de Marc.

— Oui, Tracy.

Pourrait-elle jamais comprendre cet homme ? Pourrait-elle être heureuse avec lui ? Avait-elle trouvé ce qu'inconsciemment elle avait toujours cherché ?

11

Marc la regardait au fond dès yeux.

— Tracy, je veux que vous sachiez...

Une sonnerie retentit.

— Le téléphone !

Tracy tendait la main, mais il voulut l'arrêter.

— Ne répondez pas.

— Marc, c'est probablement Eric qui se demande où nous sommes passés.

Elle décrocha.

— Allô !

Marc saisit sa main libre et la posa sur son torse. Troublée de sentir son désir renaissant, elle poussa un petit cri et voulut retirer sa main, mais Marc la retenait tout en caressant ses seins.

Elle se mit à bégayer :

— Quoi ? Oh ! rien. Non, tout va bien. Je ne sais pas où est Marc. Peut-être au casino. J'étais un peu fatiguée et je me reposais.

Marc souffla dans son oreille :

— Jolie petite menteuse !

Tracy s'écarta le plus possible de lui.

— Eric, je descends tout de suite. Attendez-moi au salon. Nous finirons bien par trouver Marc.

Elle s'arrêta pour écouter la réponse.

— Oui, Eric, j'étais contente aussi de vous revoir. Je vous laisse, à tout de suite.

Elle raccrocha.

— Je vais m'habiller... Marc ! Arrêtez !

Leur baiser dura une éternité. Enfin, Marc se redressa.

— C'est affreux, mais je crois bien qu'il faut nous rhabiller et descendre dîner avec Eric. Avant que nous partions, promettez-moi de passer la nuit avec moi. Demain matin, je veux vous trouver à mes côtés.

— Je ne peux pas vous le promettre.

— Pourquoi ?

— Parce que je... je retourne à New York dès ce soir. J'ai un travail, Marc. Enfin...

Elle haussa les épaules. Il fallait qu'il dise quelque chose, maintenant ; qu'il l'aimait, qu'il voulait qu'elle retourne avec lui à Brewster et qu'ils allaient se consacrer tous deux à sauver et à faire revivre ce pays.

— Comment ? Retourner à New York ? Pourquoi cette soudaine volte-face après ce que nous venons de vivre ? Cela a-t-il un rapport avec le coup de téléphone d'Eric Schaeffer ? Qu'est-il donc pour vous ?

Tracy se leva, entra dans la salle de bains et enfila un peignoir avant de répondre, d'une toute petite voix.

— Il y a huit mois, j'ai rompu nos fiançailles.

— Vos fiançailles ?

Marc se dressa d'un bond et alla vers elle. Ses yeux lançaient des éclairs.

140

— Et pourquoi cela ? J'exige que vous me répondiez.

— Il voulait que je quitte mon travail et que je le suive là où la société le nommerait.

— Et vous avez refusé ?

— J'ai travaillé aussi durement et aussi longtemps que lui. S'il tenait à m'épouser, il n'avait qu'à demander à rester à New York.

Elle se dirigea vers sa chambre pour aller s'habiller. Marc la suivit. Elle se retourna et lança d'un ton agressif :

— Nous n'avions pas la même vision des choses. Heureusement, nous nous en sommes aperçus avant de commettre l'irréparable.

— Votre carrière signifie donc tant que cela pour vous ?

— Marc, je n'ai pas envie d'en parler. De toute façon, qu'est-ce que cela peut faire ? C'est fini.

En disant cela, elle pensait à elle et à Marc et non pas à Eric. Mais, visiblement, il ne le comprit pas. Elle le fixa d'un air sombre.

— Laissez-moi finir de me préparer et allez vous habiller ; on nous attend.

Il retourna dans sa chambre sans dire un mot. Rapidement, Tracy se coiffa et se maquilla et, passant la tête à travers la porte, dit à Marc :

— Je suis prête. Je descends pour faire patienter Eric.

Elle prit son sac et sortit. Avant de rejoindre Eric dans un des salons, elle s'arrêta à l'agence de voyages pour s'informer des vols pour New York. Il y en avait un à dix heures.

Eric avait l'air de s'ennuyer ferme devant un verre à moitié vide. Quand il vit s'avancer Tracy, son visage s'éclaira.

— Oh ! Tracy, je suis si content de vous voir !

Il baissa la voix.

— Après le dîner, nous pourrions peut-être aller danser ? Sans ce Durand...

— Eric, je vous en prie, ne vous imaginez pas que nous allons renouer. Je n'ai rien oublié.

— Mais, Tracy, je vous désire toujours.

Il lui prit la main. Elle remarqua que lui non plus n'avait pas prononcé le mot amour.

Soudain, une voix s'éleva derrière eux :

— Bonsoir. Je vous dérange, peut-être ?

Il avança un fauteuil et vint s'asseoir près de Tracy. Leurs jambes se frôlèrent. Tracy s'écarta et Marc lui sourit.

Avec une amabilité visiblement forcée, Eric demanda :

— Bonne chance au jeu ?

— Oh ! j'ai gagné !

Il se tourna ostensiblement vers la jeune femme.

— Je gagne presque toujours, n'est-ce pas ?

Une serveuse s'approcha de leur table et Eric regarda sa montre.

— Nous avons juste le temps de boire un verre avant le dîner. Mais j'aimerais que vous jetiez tout de suite un coup d'œil sur ma nouvelle offre.

Et il tendit quelques feuillets à Marc. Pendant qu'il en prenait connaissance, Eric et Tracy s'entretinrent des collègues qu'ils connaissaient, de la découverte de bauxite en Australie, du nouveau président de la Magnum Mining.

Marc soupira et déclara :

— C'est l'heure d'aller dîner, non ?

Le moins qu'on puisse dire, c'est que cette perspective n'avait pas l'air de l'enthousiasmer. Il rendit les papiers à Eric sans faire le moindre commentaire et se leva. Les deux autres l'imitèrent et, comme si cela allait de soi, Eric saisit Tracy par le bras pour se rendre dans la salle à manger.

Au fond de la vaste pièce se dressait une scène, fermée pour l'instant par des rideaux. Ils prirent place et, après avoir passé la commande, Eric s'adressa à Marc :

— Que pensez-vous de la nouvelle proposition de la compagnie ?

— Monsieur Schaeffer, je trouve que la somme d'argent qui est proposée est absolument scandaleuse !

— Mais elle est extrêmement généreuse ! Ces royalties versées par une compagnie en plein essor, en plus du prix d'achat...

La voix posée de Marc l'interrompit :

— Vous vous méprenez. Les deux propositions sont plus que généreuses, en effet. Mais pour rien au monde, quel que soit le montant qui m'est offert, je ne vendrai ces terres. La compagnie et le gouvernement des Etats-Unis devront trouver du cobalt ailleurs, du moins tant que j'aurai mon mot à dire. Voilà qui est clair et définitif, je pense.

Parfaitement clair, pensa Tracy. A présent, elle était fixée. Jamais encore Marc n'avait déclaré aussi explicitement qu'il ne voulait pas vendre. En une seconde, sa décision fut prise.

— Eric, Marc, excusez-moi quelques minutes.

Elle se précipita dans le hall, demanda un bloc-notes, griffonna quelques mots et demanda à un serveur de remettre ce papier aux deux hommes un quart d'heure plus tard. Puis elle monta dans l'ascenseur, accompagnée d'un bagagiste, prit ses affaires et redescendit. Elle paya tandis que le réceptionniste appelait un taxi et fila vers l'aéroport. Les dernières images qu'elle eut de Reno s'estompèrent, brouillées par les larmes.

12

La jeune femme qui, au petit matin, pénétra dans son appartement de New York n'était pas la même que celle qui en était partie moins d'une semaine auparavant. Elle avait beaucoup appris, beaucoup vécu, beaucoup perdu.

Elle défit ses valises et se fit couler un bain. Les larmes, refoulées depuis la veille, jaillirent enfin. Epuisée, elle s'allongea sur son lit et mit son réveil à sonner deux heures plus tard.

Ce fut une Tracy Cole méconnaissable qui arriva au siège de la compagnie. Aussitôt, Jonathan Allen la fit appeler.

— Tracy, quelle mine ! Que diable s'est-il passé ? Eric vient de m'appeler pour m'annoncer que l'affaire a échoué.

Dans l'avion, Tracy avait rédigé un rapport complet, omettant seulement les détails personnels. Elle tendit le dossier à Jonathan et regarda par la fenêtre pendant qu'il lisait. Quand il leva les yeux, son visage était rouge de colère.

— En somme, vous avez vraiment tout raté ?

Les mots atteignirent Tracy comme une gifle. D'un seul coup, la colère monta en elle.

— Ce n'est pas moi qui ai subi un échec, je n'y suis pour rien. D'ailleurs, Eric a bien dû vous dire qu'en fait il n'avait jamais eu la moindre intention de vendre.

— Comment ça ? Pourquoi donc, selon vous, a-t-il fait venir un représentant ?

— Marc a joué au poker avec Elise Schell ; l'enjeu était qu'il accepterait au moins d'écouter un représentant. Il ne faisait qu'honorer un pari.

Le silence se prolongea un long moment. Jonathan Allen avait l'air accablé. Pendant ce temps, Tracy réfléchissait à la façon dont elle allait aborder un problème qui lui tenait à cœur.

Elle passa à l'attaque :

— Maintenant, je veux savoir pourquoi vous avez envoyé quelqu'un d'autre et pourquoi vous ne m'avez pas dit qu'il s'agissait d'Eric Schaeffer.

Avant de répondre, Jonathan alluma une cigarette.

— Eric était dans la région. C'était notre dernière chance. Je ne vous l'ai pas dit pour ne pas vous bouleverser. Je pensais pouvoir vous parler avant votre rencontre avec lui.

Il aspira une bouffée et poursuivit :

— Vous pensez qu'envoyer Eric pour parler à Marc Durand était une insulte ?

— Et comment !

— Ecoutez, croyez ce que vous voulez, mais sachez que la compagnie voulait absolument obtenir ces terrains et que j'aurais envoyé l'armée si je l'avais pu. Eric m'a dit que Marc Durand s'était contenté de rire quand il lui a présenté notre dernière proposition.

— C'est exact. Il y a des gens qui ne se laissent

pas acheter ; je pense simplement que vous n'en avez jamais rencontré de tels au cours de votre longue carrière.

— Pas beaucoup. Mais j'ai vu des gens, comme Farnsworth et Bishop à Ludlum, qui étaient âpres au gain et ont vendu à la Owens Mining. Si nous avions envoyé un homme là-bas, peut-être...

Tracy se leva et s'appuya sur le bureau.

— D'accord, allons jusqu'au bout. Reprenons l'histoire de la Magnum Mining et de son nouveau président qui a fait promouvoir des femmes au sein de la direction. Certains cadres supérieurs ont mal accepté cette nouveauté, et vous faites partie de ceux-là, n'est-ce pas ?

Elle se rassit, les jambes tremblantes.

— Ainsi, votre petit discours de l'autre jour, sur les femmes capables de faire partie des conseils d'administration, était uniquement destiné à avoir l'air d'accord avec le président. C'est bien cela ?

Il haussa les épaules.

— Vous me passez un savon, ma parole !

— J'ai encore une chose à vous dire. Vous feriez mieux de vous habituer à voir des femmes dans le monde des affaires. Nous y sommes parvenues et nous y resterons.

— Et vous-même, Tracy ? Vous avez l'intention de rester ?

En une fraction de seconde, Tracy prit sa décision. Elle savait maintenant ce qu'elle voulait ; préserver des régions comme celles de Marc, ne plus appartenir à une compagnie qui éventrait la terre, épuisait les ressources naturelles, et tout cela pour le plus grand bien des actionnaires, pas des habitants.

— Non, Jonathan. Je ne resterai pas. Je donne ma démission ; quand vous en informerez notre cher président, dites-lui que Jonathan Allen est sexiste et qu'il n'apprécie pas la présence de collaboratrices au sein de son équipe. Mais, à vous, je vous le dis, ce n'est pas là la vraie raison. Vous n'auriez pas le pouvoir de me chasser si je croyais encore à ce que je fais. Mais la compagnie et moi n'avons plus rien en commun.

— Ainsi, Eric a vu juste. Selon lui, il s'est passé quelque chose entre ce Durand et vous. Vous avez sans doute attrapé la maladie de l'idéalisme.

Tracy sursauta. Elle rejeta les épaules en arrière dans un geste de défi.

— L'idéalisme ? Vous ne savez même pas de quoi vous parlez, monsieur Allen, et vous ne le saurez jamais !

Elle tourna les talons et sortit du bureau. Sa carrière était ruinée.

Dans son bureau, elle réunit ses affaires personnelles et prit des dispositions pour les faire apporter chez elle. Sans donner d'explications, elle fit ses adieux et se retrouva dehors. En l'espace d'un quart d'heure, elle avait renoncé à trois ans de travail acharné !

Encore sous le coup de l'émotion, elle se dit que New York n'avait plus aucun intérêt pour elle et qu'elle allait partir se reposer quelques jours. Aussitôt, elle se rendit dans son agence de voyages et retint un billet pour les Bahamas, où elle resta deux semaines. Au retour, elle était bronzée, mais son regard restait triste et perdu. Pas un instant la pensée de Marc Durand ne l'avait quittée.

Sans même avoir défait ses valises, elle se jeta sur son courrier. Rien de Marc. A part des factures, il y avait quatre lettres et un télégramme, en provenance de la Symbios Foundation située à Boulder, dans le Colorado. Elle ouvrit le télégramme signé de Sylvia Gold qui demandait qu'elle prenne contact avec elle au plus vite. La première lettre renfermait un dépliant en couleurs sur la société Symbios, une fondation privée consacrée à la protection de l'environnement. Les lettres insistaient pour qu'elle rencontre un de ses représentants.

La semaine suivante, deux autres lettres et un télégramme arrivèrent, tous signés de Sylvia Gold. Une telle obstination finit par éveiller l'intérêt de Tracy. Et puis il était temps qu'elle secoue sa léthargie. Elle appela un ami au département des recherches de la Magnum Mining pour se renseigner sur la Symbios Foundation. Une heure plus tard, il lui apprit qu'il s'agissait d'une petite organisation bien gérée, née depuis trois ans et qui jouissait déjà d'une excellente réputation auprès des écologistes de l'Ouest. Une de ses dernières actions avait été de sauver, en accord avec la Société d'histoire du Colorado, une très ancienne locomotive qui allait partir pour la casse.

Tracy télégraphia aussitôt qu'elle rencontrerait leur représentant à midi, le mardi suivant, dans un restaurant dont elle donna l'adresse. Un télégramme arriva le lendemain. C'était d'accord pour le jour et l'heure, mais dans un hôtel situé au centre de Manhattan.

Ce matin-là, elle revêtit une tenue stricte, mais élégante, et appela un taxi. Qu'aurait dit Marc en la voyant ?

L'hôtel où elle avait rendez-vous rappela à Tracy Mille Fleur House.

A midi pile, elle entra et demanda à la réceptionniste de l'annoncer. Elle frappa à la porte de la suite et, d'abord, personne ne répondit. Croyant s'être trompée de numéro, elle allait redescendre dans le hall, quand la porte s'ouvrit.

— Mademoiselle Cole ?

Au son de la voix, elle sut qui était là.

— Marc ?

Tracy sentit le sol se dérober sous elle. Où était le représentant de la Symbios Foundation ? Que se passait-il ?

— Tracy, finissez d'entrer et laissez-moi fermer la porte.

Il la prit par le bras. Elle s'assit sur le premier fauteuil qu'elle rencontra.

— Marc, à quelle sorte de jeu jouez-vous, maintenant ?

— Je ne suis pas en train de jouer, Tracy. J'ai rendez-vous avec vous à midi pour vous proposer un travail.

— Non, Marc. C'est inutile. Je m'en vais.

Elle se leva et se dirigea vers la porte, mais Marc l'arrêta. Immédiatement, la proximité de cet homme la troubla profondément. Cette fois, se jura-t-elle, son charme n'agira pas ! Elle n'avait déjà que trop souffert à cause de lui et n'était pas décidée à se jeter à nouveau dans la gueule du loup !

— Tracy, écoutez-moi. Pourquoi cette attitude ?

— Parce que vous m'avez trompée. Vous m'avez attirée dans un piège. Qu'avez-vous à voir avec la Symbios Foundation ?

Tout le chagrin et la rancune accumulés ces trois dernières semaines remontaient à la surface.

— Mon départ de Reno a dû mettre à mal votre orgueil pour que vous maniganciez tout cela : lettres, télégrammes, rendez-vous...

— Attendez une seconde.

Marc se dirigea vers le téléphone et, sans la quitter des yeux, composa un numéro.

— Allô, Kent ? C'est Marc. Voulez-vous dire quelques mots à Tracy sur la Symbios Foundation ?

149

Il s'arrêta, écouta, puis dit :

— Kent, ne finassez pas. Dites-lui la vérité.

Marc tendit l'appareil à la jeune femme.

— Allô! Oui, Kent, je vais bien.

Tracy entendit la voix profonde et grave de Kent. Sa stupéfaction augmentait de seconde en seconde à mesure qu'elle l'écoutait.

— Avant sa mort, le père de Marc a constitué un fonds destiné à la protection de l'environnement et à la préservation des sites historiques. Avec cet argent, Marc a mis sur pied la fondation Symbios. Je fais partie du conseil d'administration, avec d'autres hommes et femmes de l'Idaho et du Colorado.

— Pourquoi ne pas me l'avoir dit?

— Marc m'avait demandé de ne pas vous en parler.

Tracy s'assit sur le bord du bureau et chercha Marc du regard. Il était devant la fenêtre et regardait la neige.

— Tracy, cette fondation n'est pas un piège. Marc cherche à y intéresser le plus de monde possible et nous avons justement besoin d'un administrateur. A moins que ce ne soit une administratrice...

— Kent, pouvez-vous me donner un conseil?

Elle l'entendit rire dans l'appareil.

— Aucun. C'est votre affaire, Tracy.

— Bon. Merci, Kent. Dites-moi, comment va Elise?

D'abord, il ne répondit pas.

— Elise ne voulait pas de moi quand elle se croyait pauvre. Maintenant, je vais épouser une riche veuve.

— Oh! je suis tellement heureuse pour vous deux! Transmettez-lui mes félicitations.

— Je n'y manquerai pas. Nous vous enverrons

une invitation pour notre mariage. Et bonne chance, vous en...

— Je sais, j'en aurai besoin. Au revoir, Kent !

Elle raccrocha et se tourna vers Marc. Il regardait toujours par la fenêtre. Le moment était venu de choisir : ou s'en aller, ou écouter le représentant de la Symbios Foundation. Voulait-elle vraiment s'occuper de la protection de l'environnement ? Même si Marc était son employeur ?

— Entendu, Marc. Je suis d'accord pour étudier vos propositions. Une question, toutefois : pourquoi ne pas m'en avoir parlé quand j'étais à Brewster ?

Marc se retourna et avança jusqu'au milieu de la pièce.

— Vous n'étiez pas prête à m'écouter. A présent, c'est différent. Vous n'êtes plus employée par la Magnum Mining. Je peux imaginer quelle sorte de rapport Eric Schaeffer a fait sur vous. Après que nous eûmes reçu votre message, il a eu beaucoup à dire sur la ravissante Tracy Amanda Cole.

— Marc, nous ne sommes pas ici pour discuter de mon départ de la compagnie ni d'Eric Schaeffer.

— Mais c'est justement de votre départ de la Magnum Mining qu'il nous faut discuter.

Marc s'avança et le cœur de Tracy se mit à battre la chamade. Elle prit sa respiration et recula.

— Marc, ne...

— Tracy, venez à moi.

Ces mots étaient les plus beaux qu'elle ait jamais entendus. Il lui tendit la main. Sans réfléchir, elle lui donna la sienne. Quand leurs lèvres se joignirent, le désir, la passion, si longtemps contenus, se déchaînèrent dans ses veines mais, quand Marc la souleva dans ses bras, Tracy trouva la force de parler.

— Marc, à moins que vous n'ayez autre chose à m'offrir qu'une nuit avec vous, laissez-moi. Malgré ce que vous avez pu penser, je ne suis pas une aventurière.

— Je le sais, Tracy. Je veux vous offrir un travail bien payé.

— Marc, avant de parler d'argent, dites-moi ce que vous attendez de moi. Si vous ne voulez rien dire, je m'en vais.

Son visage était grave. L'expression de Marc devint sérieuse, elle aussi. Il l'entraîna vers le canapé.

— Non, Marc. Vous vous mettrez dans un fauteuil, moi dans l'autre.

Tracy était contente du ton ferme de sa voix. Marc poussa un soupir résigné.

— Je veux des réponses franches. Pourquoi ce subterfuge ? Pourquoi ne m'avez-vous rien dit sur la Symbios Foundation ?

— J'ai eu recours à ce subterfuge, comme vous dites, parce que j'ai voulu vous amener à changer par vous-même, sans contrainte. En démissionnant de la Magnum Mining et en venant ici, vous montrez ce que sont, véritablement, vos opinions.

Il croisa les jambes et Tracy remarqua qu'il était vêtu d'un costume de coupe impeccable, et d'une chemise blanche.

— Vous sembliez si convaincue en défendant le point de vue de la compagnie que rien de ce que je pouvais dire n'aurait eu d'effet. Puisque votre carrière est tellement importante pour vous, j'ai pensé que je pouvais vous proposer quelque chose d'intéressant dans une société dont je suis un des directeurs. Comme cela, il n'y aurait pas de conflits entre nous, pas de désaccords fondamentaux pouvant conduire au divorce...

Le mot était venu si naturellement que Tracy n'en saisit pas tout de suite le sens. L'expression de Marc n'avait pas changé, il se contentait de la regarder comme un adversaire au poker.

— Divorce ? Que voulez-vous dire ?

Marc se levait quand Tracy l'interrompit.

— Ne bougez pas, Marc. J'exige que vous restiez assis tant que vous n'aurez pas répondu.

Il éclata d'un rire profond. Malgré ce qu'elle venait de dire, il se mit debout et vint prendre entre les siennes ses mains glacées. Le regard de Tracy, rivé à Marc, reflétait l'anxiété et la souffrance.

— Tracy, ces dernières semaines ont été un enfer. Je ne savais pas si j'avais bien fait de vous laisser partir. Je me torturais à propos d'Eric Schaeffer... Quand la Symbios Foundation a reçu votre télégramme, j'ai su que j'avais gagné.

— Elise ne disait-elle pas que vous gagnez toujours ?

Sa voix était calme, apparemment, tout au moins.

— Peut-être, mais jamais avec un tel enjeu, Tracy. Je vous aime, je veux que vous soyez ma femme.

Elle crut défaillir. Ces mots qu'elle attendait depuis si longtemps, il venait de les dire. Simplement, comme si c'était l'évidence même. Elle resta bouche bée, n'osant croire à son bonheur.

— Tracy ? Je...

Elle se jeta dans ses bras, le cœur battant. Il couvrit de baisers son visage, ses cheveux. Elle avait envie de rire, de chanter, de vivre. Une exultation ineffable s'emparait de tout son être.

— Oh ! Marc ! Je vous aime.

Il l'entraîna dans la chambre. Avec une fièvre joyeuse, ils se déshabillèrent l'un l'autre, au milieu des rires et des baisers.

Marc voulut la soulever et la déposer sur le lit.

— Non, je veux vous regarder, d'abord.

Il resta immobile tandis que le regard, les mains de Tracy touchaient son corps. Elle l'aimait, il lui appartenait. Elle était ivre de bonheur.

Enfin, Marc poussa un gémissement.

— Tracy...

Elle éclata d'un rire joyeux et lui prit la main. Ils roulèrent ensemble sur le lit, bras et jambes mêlés, comme s'ils craignaient encore de se perdre. Avant de sombrer corps et âme dans le plaisir, Marc lui murmura à l'oreille :

— Oh ! Tracy, j'avais tellement besoin de vous ! Me croyez-vous, à présent ?

Avec un sourire, Tracy ferma les paupières en signe d'acquiescement. Au coin de ses yeux scintillants perlèrent deux larmes, larmes de bonheur, que Marc cueillit délicatement du bout des lèvres. Tracy sut, à cet instant, qu'elle lui appartenait pour toujours.

Ce livre de la *Série Désir* vous a plu. Découvrez les autres séries Duo qui vous enchanteront.

Romance, c'est la série tendre, la série du rêve et du merveilleux. C'est l'émotion, les paysages magnifiques, les sentiments troublants.
Romance, c'est un moment de bonheur.

Série Romance : 6 nouveaux titres par mois.

Harmonie vous entraîne dans les tourbillons d'une aventure pleine de péripéties.
Harmonie, ce sont 224 pages de surprises et d'amour, pour faire durer votre plaisir.

Série Harmonie : 4 nouveaux titres par mois.

Amour vous raconte le destin de couples exceptionnels, unis par un amour profond et déchirés par de soudaines tempêtes.
Amour vous passionnera, *Amour* vous étonnera.

Série Amour : 4 nouveaux titres par mois.

Série Désir : 6 nouveaux titres par mois.

Duo

Série Désir

107 CATHLYN McCOY
Au vent de la passion

Etrange et troublante ironie du sort... Est-ce le hasard
ou la fatalité qui a décidé de réunir, sept ans après
leur divorce, Luke et Samantha Ford? Leurs volontés
s'affrontent, chargées de défi. Au fond de leurs yeux
danse une flamme rebelle, un feu secret qui fait renaître
les espoirs les plus fous...

108 SARA ANN WEST
Terre de feu

Un voyage d'affaires conduit Sandra Kent
au Nouveau-Mexique, terre d'enchantement.
Obscurément, la jeune femme pressent un danger et,
lorsqu'elle rencontre le sculpteur Travis Howard,
elle est attirée par ce démon aux yeux bleus
et aux cheveux de nuit. Envoûtée,
elle le suit à Acoma, la cité du ciel...

109 NAOMI HORTON
Plus loin que le rêve

Quand Ryan McCree réapparaît dans la vie de Julia
Forrest, trois ans d'incertitudes et de souffrances
s'effacent d'un seul coup. Ce sourire ensorcelant,
ce regard farouche empreint d'une dureté nouvelle
sont bien ceux de Ryan. Ce serait folie que de le revoir –
une si douce, une si merveilleuse folie!

Duo

Série Désir

Ce mois-ci

Duo Série Amour

Duo Série Romance

Duo Série Harmonie

**Achevé d'imprimer sur les presses de l'Imprimerie Bussière
à Saint-Amand-Montrond (Cher)
le 15 mars 1985. ISBN : 2-277-85110-8. ISSN : 0760-3606
N° 397. Dépôt légal : mars 1985. Imprimé en France**

Collections Duo
27, rue Cassette   75006 Paris
diffusion France et étranger : Flammarion